FAÇA VOCÊ MESMO

CB039136

FAÇA VOCÊ MESMO

MESMO

Guia prático para reformar sua família

—

GARY CHAPMAN
SHANNON WARDEN

Traduzido por Ana Paula Argentino

mundo**cristão**

Edição
Daniel Faria

Preparação
Paula Mazzini

Revisão
Natália Custódio

Produção e diagramação
Felipe Marques

Colaboração
Ana Luiza Ferreira

Capa
Rafael Brum

CIP-Brasil. Catalogação na publicação
Sindicato Nacional dos Editores de Livros, RJ

C432f

    Chapman, Gary, 1938-

        Faça você mesmo : guia prático para reformar sua família / Gary Chapman, Shannon Warden ; tradução Ana Paula Argentino. - 1. ed. - São Paulo : Mundo Cristão, 2021.
        224 p.

        Tradução de: The diy guide to building a family that lasts
        ISBN 978-65-86027-94-5

        1. Famílias - Aspectos religiosos - Cristianismo. 2. Famílias - Vida religiosa. I. Warden, Shannon. II. Argentino, Ana Paula. III. Título.

21-69974   CDD: 248.4
                                   CDU: 27-45

Publicado no Brasil com todos os direitos reservados por:

Editora Mundo Cristão
Rua Antônio Carlos Tacconi, 69
São Paulo, SP, Brasil
CEP 04810-020
Telefone: (11) 2127-4147
www.mundocristao.com.br

Categoria: Família
1ª edição: junho de 2021

DE GARY:

Dedicado à minha esposa, Karolyn,
à minha filha, Shelley, e ao meu filho, Derek,
com quem vivi muitas reformas familiares!

DE SHANNON:

Para mamãe e papai (Kenny e Sandra Prater),
obrigada por amarem, perseverarem
e me mostrarem como fazer o mesmo.
Para Stephen, Avery, Carson e Presley,
vocês são minha equipe dos sonhos!
Amo ter o "combo completo" com vocês.

SUMÁRIO

INTRODUÇÃO

Você já assistiu àqueles programas de televisão que reformam casas? Ou talvez já tenha feito seu próprio projeto de reforma. É mesmo impressionante ver o resultado, aquele momento em que os sonhos e o trabalho árduo transformam-se em um espaço lindo e novo ou em uma casa totalmente renovada. O que era velho e fora de moda agora está modificado e revigorado! E nos perguntamos: "Por que demoramos tanto para fazer isso?".

Minha coautora, Shannon, e eu gostamos de programas e projetos de reformas. Foi em um tipo diferente de reforma, porém, que nos especializamos. Somos conselheiros conjugais e familiares, e temos o privilégio de acompanhar pessoas e casais que sonham com uma nova vida no lar. Eles não querem uma família nova; precisam apenas de novos recursos para aprimorar a vida familiar que já têm. De modo específico, querem se comunicar de forma mais eficaz e amar com mais qualidade seus entes queridos. Querem descobrir como incentivar os filhos, ter mais paz em casa e estabelecer e manter limites mais adequados.

Consegue ver as semelhanças entre as melhorias familiares das quais falamos em nossos aconselhamentos e a reforma literal de uma casa? Em ambos os casos, a frustração e o tédio com as coisas velhas levam a um desejo cada vez maior de mudança. O desejo leva aos planos. Os planos levam às medidas práticas. E as medidas práticas levam a um lar maravilhosamente transformado.

É claro que há diferenças entre a reforma literal de uma casa e a reforma da vida familiar. Uma delas é que as pessoas podem pagar por empreiteiros, em vez de elas mesmas fazerem suas reformas. Aprimorar relacionamentos não é bem assim. Como conselheiros, Shannon e eu não entramos na casa das pessoas com quem trabalhamos a fim de criar um novo lar. Ao contrário, ajudamos as pessoas a aprenderem como fazer isso por elas mesmas.

Em nossa função de conselheiros, nós ouvimos, ajudamos as pessoas a esclarecer seus objetivos e colaboramos na elaboração de planos e passos para atingir esses objetivos. Também instruímos e ajudamos no desenvolvimento de novos *insights* e técnicas de relacionamento, ou de "ferramentas" necessárias para melhorar a vida familiar. Então, são nossos clientes que têm de decidir quanto estão motivados para lidar com as mudanças que precisam fazer em casa a fim de conquistar a nova vida familiar que almejam.

Essa é a parte mais difícil: dar continuidade! Pense nisso. Se você e seu cônjuge têm alguns padrões de comunicação negativos que se acumularam ao longo dos anos, mudar esses padrões não é algo que vai acontecer da noite para o dia. Ambos têm de se comprometer a mudar, fazer um esforço diário rumo ao objetivo e, pouco a pouco, reforçar e sustentar positivamente as mudanças boas que estão fazendo juntos, como uma equipe. Parece fácil, mas não é, porque perdemos a energia com o passar do tempo. Ficamos preguiçosos, não damos o devido valor aos relacionamentos e imaginamos que eles vão se manter indefinidamente, não obstante a falta de melhorias expressivas e de manutenção básica do relacionamento.

Não temos dificuldade apenas no relacionamento conjugal; temos também em sermos os bons pais que desejamos ser. Shannon e eu sempre trabalhamos com pais que dizem coisas como: "Preciso passar mais tempo com meus filhos, mas estou tão ocupado com o trabalho" ou "Não quero que meu filho seja o único que não tem os aparelhos tecnológicos que as outras crianças têm". Esses pais, a exemplo de tantos outros, tentam criar um equilíbrio entre o trabalho e a vida, além de limites mais saudáveis. Não querem necessariamente ser pais "perfeitos"; simplesmente reconhecem algumas questões e querem mudá-las antes que seja tarde demais e seus filhos se tornem adultos e saiam de casa.

> Ficamos preguiçosos, não damos o devido valor aos relacionamentos e imaginamos que eles vão se manter indefinidamente.

Você talvez se identifique com esses exemplos e reconheça áreas que há tempos necessitam de melhorias em seu lar. Talvez já tentou, ao longo do tempo, fazer essas mudanças, mas não obteve o sucesso que esperava. Mas você não desistiu! Ao contrário, comprometeu-se em investir na sua família e no seu lar. É por isso que está lendo *Faça você mesmo: Guia prático para reformar sua família*. Você quer saber: é realmente possível ter a vida familiar que anseio ter com as pessoas que amo? A resposta é sim! Você não está tão longe quanto imagina de ter em seu lar a vida transformada que planeja. Você já tem a vontade de ter os relacionamentos transformados e está disposto a partir para o trabalho árduo. Só precisa de ferramentas novas. É aqui que Shannon e eu entramos. Este livro está cheio de *insights* práticos e encorajadores e dicas que funcionarão como as novas ferramentas de que você precisará para alcançar seus objetivos de melhoria do lar.

Junto com as ferramentas de sucesso para os relacionamentos, compartilhamos também, ao longo do livro, exemplos literais de reformas de casas que ajudam a salientar nossos pontos. Falamos de tudo, desde a faxina diária da casa a reformas maiores, não porque somos empreiteiros no setor de reforma de casas, mas porque somos conselheiros no setor de reforma de famílias. Nossa esperança é que você aprenda com as metáforas sobre reforma de casas e desfrute delas enquanto lê e elabora seu projeto de reforma.

Então pegue sua caixa de ferramentas, e mãos à obra!

META DE MELHORIA NO LAR:
Demolir o egoísmo.

FERRAMENTA DE MELHORIA NO LAR:
Edificar a gentileza.

· 1 ·

EDIFIQUE A GENTILEZA

Divida o fardo... o fardo da roupa suja!

#paradescontrair

GARY: Antes eu não era muito atento às necessidades da Karolyn. Felizmente, ela insiste em me deixar a par.
#sou bem mais atencioso agora do que era no começo!

SHANNON: Meus filhos não deixam suas necessidades passarem despercebidas. Eles são uns docinhos, mas também tagarelas... e muito assertivos.
#não conte com minha atenção quando eu estiver com sono!

"Ei, isso é meu!" "Você está invadindo meu espaço." "Nunca fazemos o que eu quero."

Você costuma ouvir comentários como esses na sua casa? Eles são normalmente ditos com raiva ou com uma postura crítica?

Se respondeu sim a essas perguntas, você não está sozinho! Tais comentários e atitudes indicam que sua família, como tantas outras, lida com o egoísmo. Você também não está sozinho se "menos egoísmo" está no topo de sua lista de coisas para melhorar.

Se você é um iniciante nessa história, deve estar cansado de ver seus filhos disputarem brinquedos ou brigarem para ver quem se senta do lado da janela no carro ou come o último biscoito. A exemplo da maioria dos pais, só queremos um pouco de silêncio e sossego. Você pensa: "Por que, afinal, essas crianças não se dão bem?".

Além disso, talvez você queira que seus filhos cresçam sabendo como dividir as coisas e se relacionar bem com os outros. Percebe que é agora, e não depois, o momento de educá-los nessas habilidades.

Então tem você e seu cônjuge. Cada um espera mais apoio do outro em sua parcela do trabalho doméstico, ou apenas que o outro apoie mais suas ideias e sentimentos. Afinal, a faxina, a roupa suja e as contas não vão se resolver sozinhas. Você questiona: "Pensei que fôssemos uma equipe. Por que você não me ajuda?".

Dividir a mesma casa já gera problemas. Se sua família divide o mesmo banheiro, então sabe muito bem do que estou falando...

Você tem de esperar para entrar no banheiro, e às vezes ainda tem de dividir o espaço com outro membro da família. Então, tem o problema de haver pouco ou nenhum espaço na pia, o que significa que as coisas dos outros ficarão misturadas com as suas. Para aqueles que preferem espaços limpos, significa também que um filho — ou cônjuge — bagunceiro pode acabar minando seus esforços de organização. E o que dizer daquele ser que se esquece da vida no chuveiro?

Esperar. Dividir. Proteger meu espaço e minhas coisas. Que sofrimento! Se estamos falando de um ajuste literal na casa, uma reforma no banheiro com certeza seria uma boa opção. Posso imaginar os pedreiros removendo uma parede, realocando o chuveiro ou o vaso sanitário, ou trocando o armário para modernizar o ambiente e abrir mais espaço.

O egoísmo na família também faz com que nos sintamos sufocados pela falta de tempo e de espaço. Não podemos tocar nas coisas dos outros sem causar um chilique. Somos criticados se queremos ou tiramos um tempo para nós. Ou podemos falhar em entender o outro ou em lhe oferecer ajuda, sendo que essa ajuda poderia muito bem aliviar o estresse dele. Embora ter de dividir o espaço físico seja algo realmente irritante, as atitudes egoístas por trás do chilique, da crítica ou da falta de compreensão podem ser ainda mais frustrantes.

É verdade que já esperamos ver egoísmo nas crianças pequenas. Aliás, não demora muito para que elas percebam que não gostam nem um pouco de que os outros baguncem seus brinquedos. Muitos adultos, porém, continuam mantendo o egoísmo em uma área ou outra mesmo anos depois da infância. As pessoas que amamos podem nos acusar de egoísmo. Nós também sabemos que estamos sendo egoístas. Somos nós, porém, que decidimos se vamos ou não lutar contra nossas tendências egoístas em prol da vida familiar.

Ouvimos isso o tempo todo ao aconselhar famílias. Quase todos gostariam de ter uma família menos egoísta, mais amável e gentil. Antes, porém, de tentarmos resolver o problema, validamos os sentimentos do outro, pois essa é uma parte importante da reforma do lar: reconhecer que os pensamentos e os sentimentos dos membros da família são importantes. Então, passamos um tempo conversando sobre as expectativas pessoais e definindo o que é egoísmo e o impacto negativo que ele causa nas relações familiares.

Como parte dessas conversas sobre melhorias no lar, tento ajudar as pessoas a ver que nem todos os pensamentos e sentimentos "egoístas" são ruins. Às vezes, esses pensamentos e sentimentos representam anseios válidos por atenção e assistência. Afinal, talvez uma criança não seja realmente egoísta no pior sentido da palavra; ela só é nova e está arrasada por ter de dividir seu brinquedo favorito. Ou talvez o marido tenha sido diligente ao terminar as tarefas domésticas a tempo de assistir ao jogo de seu time preferido; ele não é necessariamente egoísta por separar um momento para seu passatempo.

O desenvolvimento da compreensão é uma ferramenta importante de melhoria, mas neste capítulo a primeira ferramenta básica que quero incentivá-lo a colocar em sua caixa de ferramentas para reforma do lar é a gentileza. Mais especificamente, a atenção pelas necessidades de sua família.

Por que a gentileza?

Você foi uma pessoa gentil ao longo da vida, então sabe o que é gentileza. É não se esquecer de comprar a manteiga preferida do cônjuge em vez daquela mais barata que você gostaria de comprar; é ouvir o cônjuge ou o filho desabafarem quando você preferiria ler sua revista ou tirar um cochilo; é desistir de assistir a seu programa de reforma de casas para passar tempo com seu filho que quer ver Bob Esponja.

Já nos beneficiamos da gentileza dos outros. Então, você sabe como é quando seu cônjuge envia uma mensagem de texto para saber como você está, quando seu filho recolhe os brinquedos para surpreendê-lo na hora que chega do trabalho, e quando sua família o trata de modo especial em seu aniversário.

Por que você é gentil? Por que é importante que alguém dê atenção ao seu problema? Acredito que a resposta seja a mesma para ambas as perguntas: a atenção faz as pessoas sentirem que as necessidades delas têm relevância. Queremos que nossos familiares saibam que sua necessidade é importante para nós, e queremos saber que nossa necessidade é importante para eles. O egoísmo, em contrapartida, expressa o oposto, isto é, que nossa necessidade é mais importante que a dos outros. Assim como nenhuma casa é perfeita, nenhum lar é. Somos humanos, então temos de estar preparados para um pouco de egoísmo. Mas quanto menos egoísmo e mais gentileza, melhor será!

ELABORANDO OS PLANOS

Ao reformar nossa casa, nós (ou um empreiteiro) visualizamos na mente e então desenhamos no papel ou no computador como serão essas melhorias. Incentivo as famílias a fazerem o mesmo com seus planos ou "esboços" de reforma do lar. Você já sabe o que não quer. Mas o que você quer?

Como você e sua família serão mais gentis uns com os outros? Como seria o lar de vocês se demonstrassem mais atenção uns para com os outros? Incentivo você a avaliar seus objetivos específicos e conversar a respeito deles com o restante de sua família. Talvez eles fiquem curiosos e animados por seu desejo de envolvê-los em um projeto de reforma. Eles também podem ter perspectivas e opiniões úteis sobre como diminuir o egoísmo e aumentar a atenção. Será uma boa ideia realizar esse tipo de reunião familiar durante o jantar, na hora de dormir, ou em outros momentos tranquilos em que puder contar com a atenção de todos. Em geral, isso é mais eficiente que tentar discutir e decidir os objetivos durante momentos de conflito.

Você pode começar pedindo que cada um faça uma lista das reclamações que ouviram dos outros. Talvez a mãe tenha reclamado que o filho não guarda os brinquedos no armário quando termina de brincar. A reclamação revela uma área onde o filho pode ser mais zeloso.

Para ajudá-lo a ter ideias que despertem a atenção, permita-me compartilhar alguns exemplos de pessoas com as quais Shannon ou eu já trabalhamos.

Uma mãe disse para Shannon: "Minha impressão é que meus filhos brigam o tempo todo. Acho que eles não são mais egoístas que a média dos adolescentes, mas gostaria que pudessem resolver seus problemas e se dar melhor".

Shannon fez a mãe lembrar que se relacionar de forma amigável, ou ter menos conflitos, é um objetivo nobre. Alguns pais querem, utopicamente, que não haja conflito nenhum. Em vez disso, devemos trabalhar para ter menos conflito, e não conflito algum. No capítulo 4, falaremos de atitudes práticas que ajudarão a resolver conflitos.

Outra mãe mencionou comigo que estava cansada de esbravejar com as crianças para que ajudassem com os afazeres domésticos. Seus planos de reforma do lar incluíam o desejo de que as crianças terminassem suas tarefas como era esperado, em vez de sempre esperarem que ela ou o marido as alertassem. Para que isso aconteça, precisamos comunicar com clareza o que acontecerá se elas não cumprirem suas tarefas domésticas. Escreva uma lista de afazeres para cada criança e as consequências caso não completem as tarefas dentro do prazo. Aplique com firmeza as consequências e elogie os filhos quando realizarem as tarefas no tempo certo.

> Devemos trabalhar para ter menos conflito, e não conflito algum.

Aqui vai uma ideia que muitos casais acharam útil. Combine de compartilhar com o outro semanalmente um pedido relacionado a algo que tornaria sua vida mais fácil. Antes de falar, diga ao seu cônjuge dois itens que aprecia nele. Então, faça o pedido. Perceba que eu disse "pedido", e não "exigência"! Você está transmitindo uma informação. É dele a escolha de levar em conta ou não seu pedido. Uma vez que ambos começarem a fazer mudanças para agradar o outro, sua vida familiar será aprimorada.

FAÇA VOCÊ MESMO

Talvez a expressão "faça você mesmo" lhe seja familiar. Quando se trata de reformas de casas, "fazer você mesmo" significa que, em vez de chamar um profissional, você executará um projeto de reforma por conta própria.

Para Shannon e eu, a expressão "faça você mesmo" possui um significado totalmente novo. É claro que as famílias devem fazer as próprias tarefas; Shannon e eu não podemos ir de casa em casa consertando a família dos outros. Porém, mais que fazer seu próprio trabalho, "fazer você mesmo" significa que você tem de ser o exemplo do comportamento que anseia ver em sua família. Tem de partir de você. Nesse caso, se quer ver mais gentileza em seus filhos e cônjuge, deve aumentar sua gentileza por eles.

É aqui que a coisa complica para a maioria. Preferimos falar de quanto nosso cônjuge e filhos são egoístas e desatenciosos em vez de olhar para nosso próprio egoísmo e falta de consideração. É um hábito ruim que temos de eliminar se queremos promover melhorias verdadeiras e duradouras.

Um bom ponto de partida na questão da gentileza é intensificar sua autoconsciência. Preste atenção em como você interage com seus entes queridos. Perceba quando está sendo hostil e o efeito que isso causa em sua família. Ou, ainda melhor, perceba quando sua família está chateada com você e então pergunte: "De que forma estou sendo negligente com minha família neste momento?". Observe também sua reação ao que considera ser egoísmo da parte de seus familiares. Você reage ao egoísmo deles sendo egoísta? Pensando no lado oposto, será que seu egoísmo e falta de atenção às necessidades dos outros contribuíram, de certa forma, para o comportamento egoísta deles?

> Você tem de ser o exemplo do comportamento que anseia ver em sua família.

O fato de ainda não ter fechado este livro é um sinal positivo de que você está disposto a "fazer você mesmo". É difícil olhar para os próprios defeitos, ao passo que vemos claramente os defeitos dos outros. Usando lentes mais amorosas, podemos aumentar nossa autoconsciência e assumir mais responsabilidade pelo nosso próprio egoísmo.

O COMBO COMPLETO

Meus programas preferidos de reforma de casas geralmente falam sobre o "combo completo". Um casal dirá, por exemplo, que tem cem mil reais para uma reforma. A equipe então trabalhará dentro do orçamento do casal para realizar o máximo possível da reforma desejada com aquela quantia.

Para Shannon e eu, quando o assunto é melhorias no lar, "completo" significa duas coisas. Primeiro, que a família precisa estar totalmente envolvida em fazer a mudança, mesmo que isso exija um trabalho árduo; segundo, que toda a família precisa estar incluída, para que nenhum membro carregue sozinho o peso do trabalho. Vocês são uma equipe, afinal de contas, e precisam trabalhar juntos para aprimorar o relacionamento e a interação mútua.

O compromisso precisa ser iniciado e mantido pelos pais. Assim como os empreiteiros sempre trabalham com equipes de construção, vocês pais são os chefes da equipe e devem liderar e envolver a família (equipe), para que mais progresso seja alcançado com mais rapidez. Se você, sendo o líder, falhar em se comprometer, sua família também falhará.

Você e seu cônjuge representam um importante fundamento que impacta positivamente todos os outros relacionamentos familiares. Como diz o velho ditado, "a união faz a força". Reformas familiares são projetos de equipe! Você não pode fazer os outros "mudarem", e não pode fazer a parte dos outros para gerar a mudança que deseja. Se, porém, como casal vocês trabalham juntos e levam a família a se unir a vocês, as possibilidades de mudança são ilimitadas!

O comprometimento e o trabalho em equipe são ferramentas importantes para a reforma do lar que tornam a mudança mais tangível. Como o comprometimento e o trabalho em equipe estimulam a atenção pelos outros? Pense em planos para demolir o egoísmo de sua casa.

Se o plano inclui dialogar sobre os problemas em vez de brigar pelo próprio ponto de vista, então comprometimento e trabalho em equipe talvez signifiquem que você e sua família vão "dar um tempo" antes ou durante uma discussão para acalmar os ânimos e abordar a questão com mais tranquilidade. Assim, você será mais efetivo em ouvir o ponto de vista do outro e talvez em compartilhar sua perspectiva de um jeito mais razoável, de modo que a outra pessoa possa entender seu ponto de vista.

Ou talvez um dos objetivos de sua família seja que cada um se atente para a importância do espaço pessoal do outro. Você e sua família falam, então, sobre o motivo de o escritório da mamãe ser tão especial para ela, a oficina do papai ser tão especial para ele, a mesa de artes da irmã ser tão importante para ela. Cada um se compromete em honrar esses espaços especiais e, então, vocês se lembram de agradecer cada vez que o outro honra esse compromisso. O compromisso e o trabalho em equipe são necessários para viabilizar seu objetivo de valorizar o espaço pessoal.

Você talvez diga: "Gary, isso nunca vai dar certo em nossa casa. Nós já tentamos!". E você tem razão, não vai dar certo, a não ser que você tenha um plano, a não ser que "faça você mesmo", e a não ser que sua família esteja toda envolvida e incluída.

Jeremy e Lori tinham dúvidas semelhantes. Depois de várias tentativas de mudança, decidiram que era hora de intensificar os esforços. Explicaram para as crianças o que é gentileza e como eles queriam que isso se aplicasse na família. Lori me disse mais tarde: "As crianças logo entenderam e começaram a chamar a atenção de todo mundo, inclusive de nós, toda vez que éramos desatenciosos com alguém. No começo foi um pouco irritante, mas o conceito de fato começou a ser assimilado. Embora não sejamos perfeitos, já trilhamos um longo caminho".

 ## SUANDO A CAMISA

Tempo e esforço! Assim como numa reforma literal da casa, não conseguimos nos livrar do trabalho, não é? Apesar do desejo de obter automaticamente a vida familiar e os relacionamentos que queremos sem nenhum esforço extra da nossa parte, isso não é nada realista para nenhuma pessoa, casal ou família. É necessário trabalho árduo e esforço para conquistar a vida familiar que desejamos.

No capítulo 1, apresentamos a atenção como ferramenta para realizar melhorias no lar. Segue agora um resumo com dicas importantes para diminuir o egoísmo e aumentar a gentileza em sua vida familiar:

- **Seja realista.** Crianças não vêm equipadas com habilidades de atenção e gentileza. À medida que estabelece seus objetivos de reforma do lar, leve em conta a idade e a fase de vida de seus filhos para não exigir deles mais do que estão aptos a realizar. Assim, objetivos simples e atingíveis ajudarão a desenvolver a gentileza que você deseja.
- **Seja paciente.** Adultos não mudam seus hábitos egoístas da noite para o dia. Todos nós precisamos de tempo para aprender novos hábitos. Entretanto, isso não deve ser uma desculpa para não dar atenção às necessidades de seus entes queridos.
- **Não pare de acreditar!** Às vezes assistimos aos programas de reformas de casas e pensamos: "Isso está fora de cogitação". Também podemos olhar para outras famílias da mesma forma: "Queria ser como eles, mas jamais seremos assim". Muitas famílias estão desanimadas e duvidam de seu potencial para mudar. Este, porém, é o momento de decidir: "É melhor não fazer nada ou fazer alguma coisa?". Fazer alguma coisa — até o mínimo esforço — já é um progresso. Como Shannon sempre diz: "Avançar a passos curtos é melhor que retroceder a passos largos".

- **Priorize.** Uma vez que pequenos passos acabam exigindo mais tempo, será melhor decidir quais atitudes e comportamentos você quer focar para o aprimoramento familiar. Gosto de chamar isso de "ordem de serviço", ou as tarefas específicas que a família realiza e que ajudam a atingir os objetivos de melhorias no lar. Ao desenvolver a gentileza, você pode se concentrar em algumas ordens de serviço simples mas eficazes, como: 1) notar e dizer "obrigado" uns aos outros sempre que houver chance; 2) oferecer um pedido de desculpas genuíno sempre que um membro da família nos chamar a atenção pelo egoísmo; e 3) perguntar uns aos outros como podemos ajudá-los.

- **Espere retrocessos.** Em uma reforma literal, é inevitável que aconteçam imprevistos que acabam demandando mais dinheiro, tempo e esforço. Assim também, quando começamos a trabalhar em nossa vida familiar e nos relacionamentos, de um jeito ou de outro haverá algum tipo de retrocesso. Quero incentivar você a reconhecer quando um retrocesso acontecer. Por exemplo, talvez você e seu cônjuge estejam desfrutando de vários momentos de atenção mútua, mas então se envolvem numa grande discussão sobre outras questões. Isso pode ser um retrocesso para o trabalho de aprimoramento familiar que estão desenvolvendo. Comprometam-se, então, em não permitir que tal retrocesso os desvie de seus projetos de melhorias no lar.

- **Trabalhem juntos.** Dizem que a colaboração transforma o sonho em ação. Isso é verdade nas reformas literais, e também em nosso esforço para melhorar a vida familiar. Acreditar no trabalho em equipe e comprometer-se com ele é, por si só, uma decisão admirável. Uma equipe forte é feita de indivíduos fortes que valorizam seus parceiros assim como valorizam a si mesmos. Famílias com espírito de equipe unem-se e trabalham juntas para evitar a divisão que o egoísmo pode causar.

A GRANDE SURPRESA

Imagine as cenas a seguir. Sua família entra no carro e você ouve seu filho de seis anos dizer para a irmãzinha: "Não tem problema. Pode sentar aqui". Ou você sabe que sua esposa está tão exausta quanto você depois de um longo dia no trabalho, mas ainda assim ela diz: "Claro, eu levo o lixo para fora". E você começa a escutar essas frases e presenciar essas atitudes e comportamentos com mais frequência que no passado. Então pensa: "Gentileza! Está funcionando!".

Não sei como serão seus momentos de "grande surpresa", mas eles se multiplicarão com o passar do tempo, à medida que você e seus entes queridos envidam mais esforços a fim de vencer os desafios e buscar novos e melhores meios de estarem uns com os outros.

Os programas de reformas de casas sempre terminam com uma grande surpresa. Um casal esperava com ansiedade e agora faz o primeiro *tour* em sua casa novinha em folha. Não raro, dizem algo do tipo: "Não dá nem para reconhecer. É realmente a mesma casa, não é?".

Incentivo você a celebrar com sua família, conforme começam a ser mais atenciosos uns com os outros nas pequenas e nas grandes coisas. Preste atenção à gentileza, comemore-a e aproveite o fruto do seu trabalho, que, nesse caso, será menos egoísmo e mais consideração.

FALE TUDO

1. Que exemplos de egoísmo você testemunhou em seu lar nos últimos dias? O que fez a esse respeito?

2. Quais desafios atrapalham seus esforços para diminuir o egoísmo?

3. Por que é difícil considerarmos os outros mais importantes que nós?

4. Como "fazer você mesmo" mostrar mais gentileza aos demais membros da família na próxima semana?

5. Em qual meta de equipe você e sua família podem começar a trabalhar para demonstrarem mais atenção uns pelos outros na próxima semana?

META DE MELHORIA NO LAR:
Diminuir o desrespeito.

FERRAMENTA DE MELHORIA NO LAR:
Aumentar a gratidão.

2

AUMENTE A GRATIDÃO

O chão foi feito para ser pisado; nossos
entes queridos, não.

#paradescontrair

GARY: Foi bem fácil educar nossa filha, mas nosso filho… Bem, digamos que ele tinha o dom de encher a paciência.
#grato por meus filhos, ontem e hoje!

SHANNON: Não ligo de ter de matar um inseto ou uma aranha, mas se Stephen está por perto, ele entra em ação e faz o trabalho por mim.
#grata por meu exterminador de aranhas!

"Trabalho feito um burro de carga, e parece que ela não dá a mínima."

"Todos esperam que mamãe faça tudo, mas ninguém reconhece isso, nem levanta um dedo para ajudar."

"Minha filha não liga para mim, só manda mensagens de texto. E, quando manda, é só para pedir dinheiro."

"Meu filho adora sair para comer fora de casa, mas dentro de casa não podemos contar com ele para ajudar em nada."

Já ouvi muitas versões dessas frases ao longo dos anos. Muitas esposas e esposos sentem-se desvalorizados, tanto pelo cônjuge quanto pelos filhos.

Entretanto, a falta de reconhecimento é só uma das muitas formas de desrespeito. Outras atitudes e comportamentos desrespeitosos incluem desprezar os objetivos pessoais do outro, tratando-os como insignificantes ou bobos, humilhar o outro verbalmente, em particular ou em público, e conscientemente contrariar a vontade do outro ou minar seus objetivos.

Essas várias formas de desrespeito são, às vezes, raras e sutis, tanto que você ou seus entes queridos podem simplesmente relevar e deixar passar. Por exemplo, quando você suspende os privilégios eletrônicos de seu filho e ele diz algo do tipo: "Você é o pior pai do mundo!". Ou quando seu marido entra impulsivamente na cozinha com o sapato sujo de barro, sendo que você acabou de passar pano no chão. Você sabe que seu filho está sendo insensato e que seu marido está na correria, então segue em frente sem brigar com seu filho e sem criticar seu marido por ter de passar o pano no chão novamente.

Em algumas situações, o desrespeito é sentido no coração. Não conseguimos ignorar e somos forçados a reagir porque sentimos que fomos tratados com descaso ou que alguém tirou proveito de nós. Por exemplo, talvez seu filho fale com frequência e sem arrependimento que você é uma péssima mãe. Ou talvez seu cônjuge sempre bagunce a casa, mas raramente ajude a limpá-la. Em tais situações, nossa reação pode ir de um pedido educado por respeito até um furioso ataque verbal.

A forma como escolhemos reagir aos padrões de desrespeito vai aprimorar ou corroer nossos relacionamentos. Não podemos ignorar o desrespeito. Fazer isso nos deixará ressentidos. Por outro lado, reagir de modo severo não resolve e pode acabar piorando a situação. Um antigo provérbio hebreu ensina: "A resposta gentil desvia o furor, mas a palavra ríspida desperta a ira".[1] Assim, buscamos uma reação assertiva, mas gentil, ao reagir ao desrespeito.

Shannon tem algo a dizer sobre seu casamento: "Passei muito tempo do nosso casamento ficando brava com Stephen em silêncio, ao perceber que ele queria economizar cada centavo. Eu sabia que tínhamos visões diferentes sobre poupar e gastar, mas não apreciava aquilo que para mim soava como 'controlar o dinheiro'".

Stephen também tinha suas questões de desrespeito em relação a Shannon. Certa vez, quando estavam conversando com um empreiteiro sobre o sonho dela de ampliar uma propriedade de 2,5 hectares comprando dois terrenos adjacentes, Stephen ironizou os planos da esposa. Ele disse sarcasticamente para o empreiteiro: "Sim, ela vai comprar todos os terrenos em volta antes que não sobre mais nada".

> "Disse-lhe que ele não precisava ter o mesmo sonho que eu, mas que não precisava tratá-lo com descaso."

Shannon comentou: "Reprimi meus sentimentos por um tempo em vez de colocá-los para fora. Depois, no dia seguinte, disse-lhe que ele não precisava ter o mesmo sonho que eu, mas que não precisava tratá-lo com descaso. Ele pediu desculpas sinceras, e eu me dispus a perdoar".

O relacionamento de Shannon e Stephen tem se fortalecido como resultado de seus esforços contínuos em prol de entendimento, confiança e valorização mútuas. Eles também melhoraram o relacionamento ao se responsabilizarem por suas atitudes e comportamentos desrespeitosos. A disposição para pedir desculpas é outra boa ferramenta de relacionamento que ajuda na valorização e no apoio do outro em nosso esforço por melhorias no lar.

A forma como escolhemos enxergar e reagir ao desrespeito em nossa família me leva a pensar em como tratamos o chão de nossa casa. É claro que, no caso do chão, não temos escolha a não ser "pisar" nele. Com o passar do tempo, porém, surgem os desgastes. Uma vez que o chão é bem visível e tem um propósito importante em nossa casa, temos de adotar medidas para melhorá-lo.

No mundo literal da reforma, temos muitas opções para aperfeiçoar um piso. Já mencionei o cônjuge que suja o chão com marcas de barro. Isso é algo bem simples de resolver: é só passar pano (de novo). Outros projetos comuns de reforma de piso incluem arrancar o carpete velho e colocar um novo, colocar um novo piso de madeira ou reformar o antigo, ou colocar uma cerâmica decorativa. Essas melhorias costumam deixar um bom visual, e temos orgulho de mostrá-lo aos nossos convidados.

POR QUE A GRATIDÃO?

Consegue ver a comparação? Pisar em nossos entes queridos, ou desrespeitá-los, não é o ideal; com o tempo, o desgaste pode causar grande dano aos relacionamentos. Para proteger e melhorar esses relacionamentos, precisamos cuidar de nossos familiares e valorizá-los, assim como cuidamos dos pisos novos e os valorizamos. Com isso em mente, convido-o a acrescentar à sua caixa de ferramentas de melhorias do lar a ferramenta da gratidão.

Por que a gratidão?

As pesquisas têm demonstrado recorrentemente que a gratidão contribui para a saúde física e mental, para o aumento da satisfação de vida e para o fortalecimento dos relacionamentos. É uma evidência bastante convincente em favor da gratidão.

Você já conhece o potencial positivo da gratidão se teve a felicidade de crescer numa família incentivadora e solidária. Sua família reconhecia e valorizava você e, em troca, você os reconhecia e os valorizava. Devido a essa base, agora que é uma pessoa casada, e sendo pai ou mãe, você certamente quer transmitir e incentivar um reconhecimento semelhante em sua vida familiar.

Se não cresceu numa família que o valorizava, possivelmente sentiu falta de receber atenção e apreço, e talvez ainda sinta. Você deixou de ter uma importante base para os relacionamentos positivos. Mas você quer melhorias no lar, então tem esperança e trabalha a fim de desenvolver relacionamentos positivos com seu cônjuge e filhos. A gratidão é uma marca dos relacionamentos positivos.

A gratidão é algo que o psicólogo Carl Rogers compreendeu. Ele ensinou sobre o conceito da consideração positiva e incondicional, que significa que, independentemente do que aconteça, nós como seres humanos temos valor. Além de promover esse ponto de vista, a abordagem de Rogers no aconselhamento enfatiza que cada um de nós possui forças intrínsecas que nos tornam hábeis para enfrentar os desafios da vida. Incentivo as famílias a verem seus entes queridos com essa mesma perspectiva, porque ela nos ajuda a perceber que a visão de mundo de nossos familiares é válida e significativa. Quando vemos uns aos outros como valiosos, ficamos menos propensos a demonstrar desrespeito em nossas palavras e ações.

Outro conceito útil de aconselhamento é a ideia de *pertencer*. As pessoas querem sentir que verdadeiramente pertencem à sua família e possuem valor para ela e para sua comunidade. A família é o local mais importante para uma pessoa sentir que faz parte de algo. Quando criticamos ou desrespeitamos um membro da família, estamos magoando um dos nossos.

Você talvez diga: "Gary, você está fora da realidade! As famílias discordam e brigam. Nem sempre entramos em consenso". Certo! Jamais teremos os mesmos pensamentos, sentimentos ou pontos de vista. Temos personalidades diferentes, perspectivas de vida diferentes e estilos de comunicação diferentes. Porém, por mais que saibamos que isso tudo é verdade, a família pode aprender a respeitar as diferenças. Em vez disso, porém, vivemos discutindo uns com os outros e querendo que nosso argumento vença ou que o outro mude seu ponto de vista. Nesse processo de brigarmos por nossos direitos e nosso ponto de vista, acabamos por desrespeitar os direitos e o ponto de vista dos outros. É aí que a gratidão entra em jogo. Quanto mais reconhecimento ou apreço sentirmos uns pelos outros, menos desrespeito iremos vivenciar.

> A família é o local mais importante para uma pessoa sentir que faz parte de algo.

ELABORANDO OS PLANOS

Primeiro, vamos identificar como o desrespeito está magoando sua família. Sugiro que você peça a cada membro da família que faça uma lista de como ele se sente quando outro familiar age desrespeitosamente com ele. Então, reúna-os e permita que cada um leia sua lista para o restante da família. Não é hora de ficar na defensiva, mas sim de receber a informação. Agora você é capaz de ver como o desrespeito está ferindo os relacionamentos familiares.

O próximo passo é cada familiar dizer para quem se sentiu desrespeitado: "Desculpe por magoá-lo. Espero que me perdoe. Vou me esforçar para mudar isso".

Agora, deixe-me fazer uma pergunta pessoal. O que você pretende fazer para substituir o desrespeito pela gratidão? Posso dar uma sugestão? Dê para cada familiar várias folhas de papel. Peça-lhes que escrevam o nome de cada pessoa da família no topo de cada página. Essas serão suas folhas de gratidão. Para esta semana, a tarefa é listar três coisas de que você gosta naquela pessoa. Por exemplo: "Gosto que a mamãe faça o café da manhã para nós" ou "Gosto que o papai jogue bola comigo". Explique que, na próxima semana, vocês vão ler as listas uns para os outros.

Na semana seguinte, acrescente mais dois motivos de gratidão em cada nome e relate-os para a família. Faça o mesmo por seis semanas e você começará a ver uma melhora no clima emocional de sua família. É difícil ser rude, crítico e condenatório quando se aprende a expressar reconhecimento.

Talvez o aumento da gratidão gere mais união entre você e seu cônjuge no que diz respeito aos estilos de educação dos filhos. Muitos pais se desrespeitam, intencionalmente ou não, ao sabotar o modo de educação do cônjuge.

Quando estiverem diante de grandes decisões de educação, o casal pode combinar de não discutir a situação na frente dos filhos. Em vez disso, eles podem, numa demonstração de consideração mútua, fazer um encontro separado para discutir com calma e chegar a um acordo sobre a situação. Esse companheirismo é um sinal para o outro e para os filhos de que mamãe e papai se valorizam e estão unidos.

O casal então anuncia para os filhos a decisão final e, daí em diante, se apoia mutuamente no desenrolar da decisão.

Alguns pais tratam os filhos de forma muito condescendente e grosseira. Depois ficam surpresos quando os filhos são desrespeitosos ou ingratos. Se nós, como adultos, formos desrespeitosos em nossas atitudes e comportamentos com nossos filhos, transmitiremos mensagens críticas, arrogantes e depreciativas que sugerem: "Você não pertence a este lugar". O tratamento respeitoso com nossos filhos, mesmo quando estamos tristes com eles, ajuda-nos a transmitir de forma mais clara uma mensagem amorosa que diz: "Você pertence a este lugar. Eu o amo, mas você sabe que quebrou a regra. Então, vamos conversar sobre o que aconteceu e sobre quais serão as consequências".

Seja qual for a luta de sua família com o desrespeito, e seja qual for sua estratégia para desenvolver atitudes e comportamentos de gratidão, seja grato pela família que tem e esperançoso com a família que ainda podem se tornar.

FAÇA VOCÊ MESMO

Como vimos no capítulo 1, às vezes somos melhores acusando os outros que acusando a nós mesmos. Vemos, ouvimos e sentimos o desrespeito do cônjuge e dos filhos conosco, mas não nos responsabilizamos facilmente pelo nosso desrespeito com eles. É por isso que, para diminuir o desrespeito e aumentar a gratidão, será necessário um esforço no estilo "faça você mesmo". Você terá de identificar seu próprio desrespeito e responsabilizar-se por ele.

Neste exato momento, você tem consciência das atitudes ou comportamentos desrespeitosos que teve com sua família nos últimos dias e semanas? Pense em ocasiões específicas quando foi crítico, grosseiro ou condenatório em sua comunicação verbal e não verbal. Se alguém o tivesse tratado desse jeito, como teria se sentido? Como seus entes queridos reagiriam? Como acha que se sentiram?

É tempo de pedir desculpas e perdão. Isso exigirá humildade e coragem de sua parte (duas outras boas ferramentas de relacionamento). Então, converse sobre como vocês já demonstram gratidão e como poderiam aumentar seus esforços nessa área. Ver você ser menos desrespeitoso e mais grato será um bom incentivo para seu cônjuge e seus filhos. Você não pode controlar totalmente o que eles vão ou não fazer, mas, por conta própria, pode fazer um pouco mais com o intuito de incentivar sua família a alcançar os objetivos de reforma do lar.

"Essa foi a área mais difícil para mim", Kevin compartilhou. "Onde eu cresci, tinha de ser durão para ganhar respeito; não dava para sair por aí dizendo: 'Ei, eu valorizo muito você'. Agora, como marido e pai, para fazer as coisas acontecerem em casa, tive de desenvolver um novo tipo de dureza — o tipo que ganha e demonstra respeito sendo gentil e expressando gratidão pela família."

O COMBO COMPLETO

Para aumentar as chances de envolver toda sua família nesse esforço de diminuir o desrespeito e aumentar a gratidão, tente um pequeno experimento.

Pense em seu cônjuge e nas coisas boas que ele faz por você e sua família. E pense em seus filhos, nas risadas e na alegria que eles trazem para sua vida. É verdade, seu cônjuge e seus filhos, assim como você, não são perfeitos. É verdade que de vez em quando eles lhe dão alguma dor de cabeça, assim como você dá para eles. Mas, quando você enfatiza mais as coisas boas que as ruins, percebe mais facilmente pelo que tem de ser grato: um cônjuge e filhos que o amam e que possuem muito mais características boas que ruins.

Agora, apegando-se a essa mentalidade de gratidão e resistindo ao uso de justificativas, tente criticar seu cônjuge e filhos. Entende o que estou dizendo? É mais difícil criticar, menosprezar ou diminuir seus entes queridos quando se tem uma mentalidade de gratidão.

SUANDO A CAMISA

Para sair do modo experimental e estabelecer a gratidão como uma característica de sua família, continuem conversando. É assim que as equipes (e as famílias) trabalham! Eles continuam conversando sobre o projeto de melhorias no lar, empenhando-se nos detalhes enquanto trabalham arduamente para completar a tarefa.

No capítulo 2, apresentamos a gratidão como ferramenta para realizar melhorias no lar. Segue agora um resumo com dicas importantes para diminuir o desrespeito e aumentar a gratidão:

- **Valorize o cônjuge e os filhos.** Mantenha as listas de gratidão referentes a cada membro da família em um local onde você possa vê-las regularmente. Pelo menos duas vezes por semana, procure verbalizar seu apreço a cada um deles. Quando se sentir decepcionado ou irritado com alguém da família, separe tempo para sentar-se e compartilhar suas preocupações de modo carinhoso e gentil.

- **Pratique a gentileza.** Mesmo com nossos melhores esforços, é possível que o desrespeito ainda apareça de vez em quando, porque somos seres humanos imperfeitos. Contudo, a família pode aprender a ser assertiva e gentil em suas reações uns com os outros. Não precisamos piorar a situação colocando em prática nosso próprio jeito de criticar, desdenhar e desprezar.

- **Reconheça seu próprio desrespeito.** Não julgue mais os outros que a si mesmo. Responsabilizar-se pelo próprio desrespeito libera você para ver o lado bom de sua família e lhe dá uma nova e mais apurada perspectiva do desrespeito entre vocês. Além disso, vendo sua humildade e coragem, os outros da família talvez se sintam mais inclinados a também reconhecer as próprias atitudes de desrespeito.

- **Pise no chão, não em sua família.** O desrespeito pode realmente desgastar seus relacionamentos. Proteja e preserve seus relacionamentos valorizando-os e cuidando deles, assim como fazemos com um piso novo.

- **Construa uma noção de pertencimento.** Você, seu cônjuge e seus filhos querem acreditar e confiar que cada um de vocês pertence à família. Tratar a todos com gratidão e respeito é um jeito importante de dizer: "Você pertence a este lugar! Você faz parte disso. Estou do seu lado para o que der e vier".

 ## A GRANDE SURPRESA

O marido diz à esposa: "Desculpe por ter falado daquele jeito. Você não merecia aquilo".

A esposa diz ao marido: "Obrigada por tudo o que faz por nossa família. Você se sacrifica muito por nós".

Em vez de gritar com o caçula e xingá-lo, o irmão mais velho diz: "Você me deixou muito irritado. Não gosto quando bagunça minhas coisas".

A mamãe e o papai recebem um cartão, feito pelos filhos, que diz: "Obrigado por serem pais maravilhosos", junto com vários "vale-ajuda" para a limpeza da casa.

Essas são imagens de gratidão que nos aquecem o coração como indivíduos, casais e pais. Mas também são momentos de "grande surpresa" — momentos que não acontecem sem um plano, sem esforço pessoal e sem trabalho duro.

À medida que prossegue com seus esforços de melhorias no lar, continue buscando esses momentos de grande surpresa. Enquanto estiver nessa etapa, procure sempre ver o lado bom de cada um e agradecer por seus grandes e pequenos passos rumo a mais gratidão e menos desrespeito. A mudança leva tempo, mas quando vocês estão todos juntos, envolvidos e incluídos, são mais capazes de desfrutar das melhorias familiares que estão realizando como equipe.

FALE TUDO

1. Quais são as qualidades de seu cônjuge pelas quais você é grato? E de seus filhos? Como você e sua família demonstram gratidão e reconhecimento uns pelos outros?

2. Observe e ouça seus filhos nesta semana. Quais atitudes e comportamentos desrespeitosos eles podem ter aprendido com você?

3. Como foi crescer num lar onde havia respeito ou desrespeito?

4. No fim de semana, pergunte a seu cônjuge: "Eu disse alguma coisa nesta semana que o desanimou?". Você também pode fazer a mesma pergunta a seus filhos.

META DE MELHORIA NO LAR:

Remover a apatia.

FERRAMENTA DE MELHORIA NO LAR:

Cultivar o amor.

• **3** •

CULTIVE O AMOR

O amor derruba paredes!

#paradescontrair

GARY: Karolyn é uma ótima cozinheira, e ela é fluente em minha linguagem de amor: palavras de afirmação. Ela mantém meu estômago e meu amor sempre transbordantes!
#o amor é a resposta!

SHANNON: Estou tentando amar meu marido e meus filhos da melhor forma possível, para que eles não venham com nenhuma ideia de me substituir.
#ame aqueles com quem você está!

Sempre fico maravilhado ao ver quanto espaço os especialistas em reformas criam quando removem algumas paredes. Na verdade, eles não estão adicionando mais metros quadrados, mas é incrível como remover paredes faz você pensar e sentir que tem mais espaço. Em certo sentido, você vê aquele mesmo espaço de modo muito diferente do que via antes.

Assim também, aprimoramos nossos relacionamentos e nossa vida familiar quando derrubamos as paredes emocionais que construímos entre nós ao longo do tempo. Por exemplo, onde antes havia uma parede de amargura, de ciúmes ou de desconfiança, agora há espaço para enfrentarmos nossa amargura, ciúmes ou desconfiança de um jeito saudável.

Shannon e eu trabalhamos com indivíduos e casais que primeiro têm de demolir esses tipos mais sérios de problemas, ou paredes, para então serem capazes de restaurar e renovar os relacionamentos saudáveis. Muitas famílias, no entanto, precisam lidar com a apatia, que é uma barreira mais comum e mais facilmente removível, se quiserem desfrutar de relacionamentos novos e aperfeiçoados.

Apatia significa simplesmente que já não damos devido valor uns aos outros. Presumimos que nosso amor um pelo outro é inabalável e que nosso relacionamento pode dar certo mesmo quando falhamos em priorizá-lo. Infelizmente, conheço muitos casais e famílias que construíram paredes de apatia no lar. Eles não queriam necessariamente fazer isso, mas ao fracassar em transmitir amor uns pelos outros, acabaram por transmitir uma atitude apática, de alguém que não se importa.

Minha esposa, Karolyn, e eu lidamos com a apatia bem cedo em nosso casamento. Eu estava cursando a pós-graduação e trabalhando meio período. Ela também estava trabalhando. Vivíamos ocupados e eu presumia que estava tudo bem, mas aos poucos estávamos nos distanciando. Focados em nossos trabalhos e estudos, e cada vez menos focados um no outro.

Talvez você também tenha vivenciado um distanciamento conjugal. E o distanciamento, se não for rapidamente tratado, só aumentará. Por mais que estejamos ocupados, não podemos nos dar ao luxo de deixar a proximidade física e emocional de lado por muito tempo. Quando agimos assim, a comunicação tende a diminuir e os desentendimentos tendem a aumentar.

O nível de estresse sobe. Então, culpamos o outro pelo nosso estresse. Essa espiral de efeitos negativos acaba nos desgastando e nos fazendo questionar nosso amor um pelo outro.

Como disse um homem: "Sabia que tínhamos alguns problemas, mas não havia percebido quanto as coisas estavam sérias até minha esposa romper em lágrimas no consultório. Ela disse que eu não a amava mais. Isso estava longe de ser verdade. Eu a amava mais do que nunca, mas não estava demonstrando isso de forma clara".

Não são apenas os casais que às vezes deixam de se sentir amados. Na correria da vida, os pais podem inadvertidamente deixar de valorizar os filhos. Shannon passou por essa experiência.

"Avery e Carson sempre chamam a minha atenção por eu estar no celular em vez de estar ouvindo o que eles falam. Fazem questão de enfatizar o que sentem dizendo coisas do tipo: 'Parece que seu celular é mais importante que eu!'."

Os filhos de Shannon não economizaram palavras; pediram e receberam a atenção de que precisavam. Em muitos casos, porém, as crianças não se expressam. Elas podem então persistir até chegar ao ponto de comportarem-se mal para ter as necessidades atendidas, que é algo que Shannon também compreende em um nível profissional.

"Quando um pai ou mãe diz que seu filho está se comportando mal, um dos primeiros fatores que considero é se a criança se sente ou não amada. Sei que os pais a amam. Mas a criança se sente amada? Essa é uma pergunta bem diferente."

Além dos efeitos negativos que os casais e os filhos sentem quando não são valorizados, precisamos levar em conta as mágoas que surgem quando irmãos não valorizam uns aos outros. Quando isso acontece, geralmente, mas nem sempre, é porque o irmão mais velho se recusa a brincar com o irmão mais novo ou ajudá-lo. Para ser justo, é verdade que de vez em quando os irmãos mais velhos sentem que os caçulas não dão valor ao seu tempo e ao seu espaço. Essas circunstâncias podem definitivamente levar a uma "perda de amor" entre os irmãos.

Se sua família está lidando com as paredes da apatia em casa, meu incentivo é: derrube essas paredes! Para isso, acrescente mais amor em sua caixa de ferramentas de melhoria no lar. Ao aumentar o amor, você e seus entes queridos serão mais capazes de aumentar o que se tornou um espaço emocional apertado entre vocês. Nada de deixar o outro para fora! É hora de derrubar as dolorosas paredes do "eu não me importo" e começar a ver e a tratar um ao outro com o amor de que todos precisam e pelo qual anseiam encarecidamente.

AMOR: ESTOU COM VOCÊ E POR VOCÊ

Vejo o amor como a marreta que os pedreiros usam quando demolem as paredes. Os martelos removem as paredes assim como o amor remove as paredes emocionais que nos separam e nos distanciam uns dos outros.

Dentro de nossas paredes de apatia está o medo. Temos medo de ficar sós. Não que tenhamos medo de tirar alguns minutos e horas para nós, mas queremos ter certeza de que alguém está realmente conosco e por nós nesta vida — alguém que nos ama profundamente e com quem podemos encarar e vencer os desafios da vida. A apatia nos faz duvidar do amor do outro e, dessa forma, nosso medo de ficar só e não ser amado aumenta.

Em geral, não queremos ser apáticos ou indiferentes. Na verdade, muitas pessoas com as quais trabalho pensam que estão sendo amorosas. Contudo, seus familiares não se sentem objeto de amor e de atenção. Como isso é possível? Como alguém pode pensar que está transmitindo amor enquanto o outro não se sente amado? É quase como se estivessem falando dois idiomas diferentes!

Karolyn e eu tivemos esse problema de falha de comunicação no começo de nosso casamento, e percebi o mesmo em muitos outros casais que aconselhei.

Dessas experiências surgiu o livro *As 5 linguagens do amor: Como expressar um compromisso de amor a seu cônjuge*, que vendeu milhões de cópias pelo mundo, demonstrando que as pessoas querem e precisam expressar amor sincero umas às outras. Deixe-me compartilhar um breve resumo do conceito das cinco linguagens do amor.

> Queremos ter certeza que alguém está realmente, conosco e por nós nesta vida.

As cinco linguagens do amor são cinco maneiras de expressar amor, emocionalmente falando.

Palavras de afirmação. Podem ser palavras que enfatizam a aparência, algo que fizeram por você, a personalidade da pessoa, ou algo que você admira nela.

Presentes. Não precisam ser caros. O presente diz: "Aquela pessoa estava pensando em mim".

Tempo de qualidade. Dar à pessoa sua total atenção, sem dividi-la. Pode ser uma longa conversa ou um projeto que desenvolvam juntos.

Atos de serviço. Fazer algo que sabe que o outro gostaria que você fizesse, como lavar a louça, passar o aspirador de pó ou ajudar o filho com a tarefa escolar.

Toque físico. Beijos, abraços, cumprimentos, etc.

Em geral, cada um de nós possui uma linguagem de amor principal. Uma das cinco fala conosco mais profundamente que as outras. Via de regra, falamos nossa própria linguagem. O que me faz sentir amado é o que eu faço para demonstrar meu amor pelos outros. Entretanto, isso pode não ser a linguagem do amor do outro, então ele talvez não se sinta amado, embora eu o esteja amando. Assim, muitos esposos e esposas sentem a ausência emocional do cônjuge.

Estas três perguntas o ajudarão a descobrir sua linguagem do amor:

1. Como eu costumo expressar amor?
2. Do que eu costumo reclamar?
3. O que eu costumo exigir?

Conhecer sua própria linguagem do amor é um bom ponto de partida, mas também temos de identificar a linguagem do amor de nossos entes queridos. Se eles e nós tivermos a mesma linguagem principal, será mais fácil expressar amor uns aos outros.

Todavia, comunicar amor será um pouco mais difícil se não falarmos a mesma linguagem. Temos de nos esforçar mais para aprender e falar a linguagem do amor de nossos familiares quando ela é diferente da nossa. Por exemplo, a minha linguagem do amor são as palavras de afirmação, e a linguagem do amor de Karolyn são os atos de serviço. Não gosto de passar o aspirador de pó no chão, mas amo a Karolyn, então eu tiro o pó como forma de demonstrar que a amo. O meu fracasso em falar a linguagem do amor dela seria visto como apatia, ou como se eu não me importasse com ela. Isso é a última coisa que queremos. Então, o que faço? Procuro formas de servi-la. A minha linguagem do amor são as palavras de afirmação. Então, ela me fala sobre quanto sou incrível. Gostaria de ter conhecido as linguagens do amor no começo de nosso casamento.

ELABORANDO OS PLANOS

Ao refletir sobre sua infância, numa escala de zero a dez, quanto amor você sentiu vindo de sua mãe? E de seu pai? Que linguagem do amor sua mãe mais falava? E seu pai? Agora que entende o conceito da linguagem do amor, será que isso o ajuda a entender por que você se sentiu ou não se sentiu amado por seus pais?

Tenho certeza que você ama seus filhos. Todavia, seu amor se tornará mais efetivo se você entender qual é a linguagem do amor mais importante para eles. Quero incentivá-los a fazer os testes presentes nos livros *As 5 linguagens do amor das crianças* e *As 5 linguagens do amor dos adolescentes* como forma de ajudar a identificar a linguagem do amor deles. Quero encorajá-los a ter um tempo em família, no qual a família toda debate sobre o conceito da linguagem do amor. Deixe que cada um compartilhe com os outros que linguagem de amor preferem.

Nos livros citados, compartilho a ideia de que cada um de nós possui um tanque de amor emocional. Um jeito divertido de manter o amor vivo na família é sempre perguntar: "Numa escala de zero a dez, quanto o seu tanque de amor está cheio?". Se responderem algo como menos que dez, pergunte: "O que eu poderia fazer para ajudar a enchê-lo?". Eles dão uma ideia, e agora você tem uma informação que pode ajudá-lo a amar seu cônjuge e filhos de modo eficaz.

É claro que o amor tem mais características do que as cinco linguagens do amor. Na literatura geral, muitos concordam que a descrição mais clara do amor está no Novo Testamento, no livro de 1Coríntios, que diz:

> O amor é paciente e bondoso. O amor não é ciumento, nem presunçoso. Não é orgulhoso, nem grosseiro. Não exige que as

coisas sejam à sua maneira. Não é irritável, nem rancoroso. Não se alegra com a injustiça, mas sim com a verdade. O amor nunca desiste, nunca perde a fé, sempre tem esperança e sempre se mantém firme.[1]

Imagine tratar um ao outro assim! Na verdade, por que não fazer com que essa seja a marca registrada de sua família ao cultivar o amor no lar? O trecho define o amor de um jeito claro e completo. Não há mensagens confusas, nem condições irrealistas sobre o que devemos ou não fazer para amar. Não! Ao contrário, essa declaração clássica reúne todas as coisas boas que já aprendemos sobre o amor. Ela nos impele a sermos melhores uns com os outros, e é assim que o amor floresce.

Talvez você esteja pensando: "Jamais seremos capazes de fazer isso!". As famílias têm o mesmo pensamento quando começam a considerar fazer grandes mudanças em suas casas. Foi o que R. J. e Jamie sentiram. "Estávamos no limite", Jamie relembrou. "Éramos frios um com o outro e estávamos nos distanciando; acreditava que já não conseguiríamos nos reaproximar. Acho que chegamos ao fundo do poço. R. J. e eu começamos a conversar a respeito do que aconteceria às crianças se não nos uníssemos, e foi então que começamos a levar as mudanças mais a sério."

Se, assim como R. J. e Jamie, você quer mesmo uma mudança — se está cansado dessa apatia mútua — então vocês precisam ser motivados pela recompensa da melhoria familiar. Talvez seja possível dizer: "Sem luta, não há vitória".

Por certo, você precisa ter em mente que nenhuma grande mudança ocorre da noite para o dia. Isso vale para uma reforma literal, e também vale para as melhorias na vida familiar.

Pense na busca pelo amor como um projeto constante no qual às vezes você tem sucesso, às vezes não. Com o tempo, conforme você e sua família se priorizam e se comprometem a amar melhor uns aos outros, vocês perceberão mais êxitos que fracassos. E atrevo-me a dizer que verão a apatia praticamente desaparecer, porque estarão sendo guiados por um alto padrão de amor.

FAÇA VOCÊ MESMO

Uma equipe será tão boa quanto seu líder é! Para motivar sua família nessa empreitada de amar mais uns aos outros, você precisará intensificar seus esforços. Como deixar de desvalorizar sua família e passar a amá-la com mais qualidade?

Como seu conselheiro de reforma na vida do lar, minha recomendação é que comece a estudar o conceito das cinco linguagens do amor e identifique sua linguagem. Esse investimento em tempo e reflexão o ajudará a perceber de um jeito novo o que o amor significa para você. Talvez já tenha se sentido frustrado por seu cônjuge negligenciar seu tanque de amor e acabou se fechando. Agora você estará mais bem equipado para reconhecer o que está acontecendo e verbalizar suas necessidades. Se, por exemplo, uma pessoa tem o toque físico como linguagem do amor, em vez de ficar passivamente emburrada ou agressivamente crítica, ela pode assertivamente pedir aquilo de que precisa: "Amor, um abraço agora me faria muito bem".

Estudar as cinco linguagens do amor também pode inspirá-lo a considerar as linguagens do amor de sua família de um jeito totalmente novo. Por exemplo, você talvez se pegue desejando que sua filha pare de "encher sua paciência" para que brinque com ela. Aprendendo a ver o pedido dessa criança como um convite para encher seu tanque de amor com "tempo de qualidade", você será capaz de demonstrar mais paciência até com as pequenas manhas, porque saberá que esse é o único jeito que ela conhece de obter o tempo de qualidade de que precisa. "Enxergue" o tanque, encha o tanque! Falta de interesse ou desatenção (apatia) não encherá seu tanque de amor; só o amor fará isso.

Você pode estar pensando: "Mas alguém vai falar minha linguagem do amor?". Esse é um desejo normal e, no fim das contas, um pedido saudável. Você quer que sua família retribua seu amor. Gostaria muito que eles tomassem a iniciativa de expressar amor, para que você não seja sempre o responsável por essa iniciativa. Além de pedir assertivamente aquilo de que precisa, você pode também tentar entender como seus entes queridos estão tentando amá-lo. Provavelmente, devem amá-lo profundamente e estão expressando esse amor na linguagem principal deles. Talvez você não esteja percebendo porque não está prestando atenção ou porque não fala a linguagem principal do amor deles. É nesse ponto que aprender sobre a linguagem do amor o ajudará a detectar quando eles estão tentando expressar amor por você.

> "Enxergue" o tanque, encha o tanque!

Essas são apenas algumas ideias que podem ajudá-lo a começar a "fazer você mesmo", a amar de forma mais efetiva, antes de esperar que seus entes queridos façam isso. O que esperamos é que, ao ver você em ação, eles se motivem a também amarem de forma mais efetiva.

O COMBO COMPLETO

Um bom ponto de partida para envolver e incluir toda a família nessa empreitada de amar de forma mais efetiva é simplesmente iniciar uma conversa sobre amor. Tenho vários recursos disponíveis que podem ajudá-lo com esses diálogos, mas você pode começar com duas perguntas básicas: 1) Como sabe que eu amo você? 2) Quando foi a última vez que sentiu que eu estava direcionando meu amor a você?

Uma regra básica importante ao fazer essas perguntas é que você e seus entes queridos não contestem o que o outro diz. Culpá-los por serem honestos ou sugerir que não estão vendo seus esforços para amá-los não diminuirá a apatia. Na verdade, pode acabar aumentando a parede de apatia e afastando-os ainda mais ao rejeitar os pensamentos e sentimentos deles. Em vez disso, agradeça-os pela honestidade e diga-lhes que planeja se esforçar mais para expressar seu amor por eles.

Como uma mãe compartilhou: "Foi doloroso no começo pensar que minha filha não se sentia amada por mim. Mas quando percebi que não estava falando a linguagem do amor dela, entendi tudo. Eu estava expressando amor em minha própria linguagem principal, sem levar em conta que ela é do tipo 'palavras de afirmação' e por isso não valorizava meu serviço da mesma forma que valorizava as palavras de apoio e incentivo".

Além de falar sobre amor, observe suas interações familiares. O que você vê e ouve? Quando vocês, como família, se perceberem sendo amáveis, falem! "Você está falando minha linguagem!" Essa é uma forma divertida de motivar uns aos outros a buscar e celebrar os bons esforços de aprimoramento familiar que vocês estão fazendo como família.

Também é bom que você e sua família expressem os sentimentos negativos. Se sentir que está sendo desvalorizado, você pode e deve dizer. Como Shannon destacou, os filhos dela deixam claro quando sentem que ela não está cuidando do tanque de amor deles. "Tento honrar os pedidos que são apropriados, e ajudo-os a 'revisar' os pedidos inapropriados. Há momentos, por exemplo, que preciso estar no celular por questões do trabalho. Se eles ficam irritados comigo, eu reconheço o pedido deles, mas peço que tenham paciência e agradeço por isso enquanto termino meu trabalho."

O exemplo de Shannon nos lembra de algumas realidades relacionadas a amar de forma mais efetiva. Nem sempre seremos capazes de elogiar, passar tempo, dar presentes, servir ou dar carinho na hora exata e do jeito que nossos entes queridos desejam. Entretanto, podemos fazer um trabalho muito melhor do que estamos fazendo ao nos unir como uma equipe e trabalhar juntos para amar de forma mais efetiva.

SUANDO A CAMISA

Conforme derrubam as paredes da apatia em sua casa, fica um aviso: você e sua família vão se divertir nesse processo! Vejo isso acontecendo com os pedreiros no dia da demolição. A demolição é um trabalho árduo, mas a equipe de construção está motivada e empolgada com a criação de novos espaços. Você e sua equipe estão criando um tipo diferente de espaço e usando uma ferramenta divertida e poderosa: o amor! Preparem-se para ver essas paredes de apatita sumirem!

Para ajudá-lo a completar sua caixa de ferramentas com mais amor, segue um resumo das dicas que compartilhei no capítulo 3. Essas ideias e ações exigirão um pouco de trabalho árduo, mas seu empenho para diminuir a apatia e aumentar o amor será bem recompensado.

- **Tenha um alarme de apatia.** Em geral, não é nossa intenção desvalorizar os outros, mas a apatia pode se infiltrar sutilmente antes de nos darmos conta disso. Ao observar intencionalmente os sinais de que começamos a desvalorizar uns aos outros, estamos ajudando nossa família a se proteger da apatia. Podemos até incentivar e permitir que cada um diga: "Acho que você não está me valorizando" ou "Às vezes parece que você não se importa". Essas declarações são ótimos "alarmes" que podem nos despertar para aprimorar e enriquecer nossas expressões de amor.
- **Conheça e fale as cinco linguagens do amor.** Amamos uns aos outros, mas se desejamos que nossos entes queridos saibam que nós os amamos, precisamos falar a linguagem do amor deles. Qualquer que seja a linguagem — palavras de afirmação, tempo de qualidade, presentes, atos de serviço ou toque físico — precisamos aprendê-la e expressá-la. Quando conversamos sobre as cinco linguagens do amor e trabalhamos ativamente para implementar esse conceito, a vida no lar melhora. Se fracassarmos em completar o tanque de amor de nossos entes queridos, nossa família continuará a sentir o distanciamento e a separação emocional causados pelas paredes de apatia.
- **Perceba!** Preste atenção em como seus familiares estão pedindo que você encha o tanque de amor deles. E preste atenção em como estão tentando encher o seu tanque de amor. Às vezes, falamos espontaneamente a nossa linguagem do

amor e não conseguimos interpretar corretamente a linguagem do amor dos outros. Acabamos por criticar uns aos outros quando deveríamos ser mais gratos pelos esforços de cada um. Ver o amor através das lentes das cinco linguagens do amor nos ajudará a valorizar e incentivar mais uns aos outros em nossos esforços para expressar e vivenciar o amor de forma mais efetiva na família.

- **Seja assertivo.** Primeiro precisamos amar bem cada membro da família. Não devemos esperar que eles façam mais do que estamos fazendo nessa área de aprimoramento familiar. Entretanto, também queremos desfrutar de um tanque de amor cheio e, às vezes, precisamos ser mais assertivos ao pedir aquilo de que precisamos. A passividade não garantirá os resultados, nem a agressividade. A assertividade é o melhor caminho.

- **Persista.** Em geral, nossa tendência é desistir rápido. No caso do amor, queremos que o pouco dure muito, quando, na verdade, nossos entes queridos desejam e precisam de expressões mais frequentes de amor. Quanto mais persistirmos, mais eles se sentirão amados. Às vezes, porém, nós os negligenciamos por tanto tempo que eles acabam ficando desconfiados e ressentidos em relação à nossa nova e aprimorada persistência. A persistência se tornará ainda mais importante nessas circunstâncias. Devemos manter a esperança de que, pouco a pouco, ela dará frutos e as barreiras entre nós desaparecerão.

- **Seja seletivo.** São muitas as definições e demonstrações de amor, mas nem todas são boas e saudáveis. A sociedade está cheia de mensagens confusas sobre o que é ou não é amor. Medite em 1Coríntios 13.4-8 e tenha essa passagem bíblica como modelo essencial para cultivar o amor e remover as paredes de apatia entre você e seus entes queridos.

A GRANDE SURPRESA

Quando começamos qualquer tipo de projeto de reforma no lar, seja literal ou nos relacionamentos, nem sempre sabemos para onde estamos indo. Temos um plano, estamos comprometidos com ele, mas não conheceremos o resultado final até estarmos vendo e, então, crendo.

Karolyn e eu não sabíamos o que esperar no início de nosso casamento. Estávamos comprometidos, mas nos distanciando em vez de nos aproximando um do outro. Um de nossos momentos de grande surpresa aconteceu quando finalmente fui honesto com Deus e orei: "Deus, não sei mais o que fazer para amar Karolyn. Já tentei tudo o que sei". Seguindo a direção divina, perguntei a ela como eu poderia amá-la melhor, e ela me disse. Comecei a falar a linguagem do amor dela (embora ainda não usasse esse termo). Ela começou a falar a minha. E, pouco a pouco, as barreiras entre nós começaram a cair — e assim permaneceram — devido aos nossos constantes e intencionais esforços de amar o outro de maneira mais efetiva.

Quando as paredes de apatia em sua família caírem, como será essa grande surpresa? Imagine você vendo e valorizando cada um de forma diferente. Imagine como será não desvalorizar o outro, mas, em vez disso, amar e se importar com ele, mantendo cheio o tanque de amor.

As expectativas de mudança são empolgantes! A vida é muito curta para esperarmos mais tempo para amar uns aos outros de forma eficaz. Faça isso ainda hoje, enquanto pode!

 **FALE TUDO**

1. Qual expressão de amor você mais prefere: palavras de afirmação, tempo de qualidade, presentes, atos de serviço ou toque físico? Pergunte ao seu cônjuge e/ou aos seus filhos (se forem grandes o bastante para entender) qual eles acham que seria a principal linguagem de amor deles. Veja se conseguem adivinhar qual é a sua.

2. Na semana passada, como você expressou amor ao seu cônjuge ou aos seus filhos? Você estava falando a sua linguagem do amor ou a deles?

3. Na semana passada, como seu cônjuge ou filhos expressaram amor a você? Eles estavam falando a linguagem do amor deles ou a sua?

4. Que comportamentos ruins seus filhos às vezes têm que podem indicar que estão, na verdade, tentando encher o tanque de amor deles?

5. Identifique alguns exemplos de como você e sua família têm deixado de valorizar uns aos outros ultimamente. Que medida poderiam tomar a fim de mudar essa atitude?

META DE MELHORIA NO LAR:
Negociar o conflito.

FERRAMENTA DE MELHORIA NO LAR:
Buscar a conciliação.

4

BUSQUE A CONCILIAÇÃO

Podemos nos dar ao luxo de discordar de cores, carpetes, luminárias e torneiras, mas precisamos concordar em "decorar" nosso lar com paz e harmonia. Elas nunca saem de moda!

#paradescontrair

GARY: Quando um de nós ganha, todos ganham... Exceto quando essa pessoa é sempre você.
#para vencer, concilie!

SHANNON: "É do meu jeito ou de jeito nenhum" nunca funciona, a não ser que você seja do tipo que sempre marca a opção "nenhuma das alternativas".
#concilie ou imploda!

A vida familiar é cheia de diferenças de opinião. Por exemplo, você quer que sua filha vista as calças azuis, mas ela está determinada a vestir as roxas. Seu cônjuge acredita que lavar e encerar o carro é a prioridade máxima, mas você precisa que ele resolva outras coisas. Seus pais querem toda a família reunida nas férias para passar uma semana nas montanhas; você até topa umas férias familiares, contanto que não seja uma semana inteira e muito menos nas montanhas.

De igual modo, as diferenças de opinião sempre ficam evidentes quando se trata de decorar a casa. Você quer um visual mais industrial, seu cônjuge ama o estilo rústico. Ou você está quase conseguindo se livrar daquela velha e desgastada poltrona, mas seu cônjuge diz: "De jeito nenhum! Ela está perfeita assim!".

Então vêm os filhos. Seu filho adolescente quer decorar o quarto dele com pôsteres de *Star Wars*; você até concorda com uma parede, mas "tem que ser o quarto inteiro?". O caçula pensou que seria uma boa ideia pintar uma das paredes com tinta guache enquanto você estava no telefone. Sua resposta é: "Sim, eu disse que nós poderíamos pintar uma parede. Nós, não você sozinho. E não com tinta guache".

Diferenças de opinião como essas podem rapidamente se transformar em um grande conflito. É como aquela tensão do cabo de guerra, quando ambos querem a coisa do seu jeito. Obviamente, queremos vencer, então "puxamos" nosso lado da corda imaginária com mais força, utilizando barganhas e implorando. Às vezes, tentamos evitar o conflito seguindo em frente com nossos desejos em vez de consultar a outra pessoa (a estratégia "depois eu peço desculpas"). Ou, quando a derrota está perto, usamos uma estratégia passivo-agressiva, esperando que a culpa faça a outra pessoa soltar seu lado da corda e dizer: "Tá bom, faça do seu jeito!".

Se conseguimos do nosso jeito: "Ótimo! Muito bem!". Se não conseguimos, desenvolvemos sentimentos negativos para com a outra pessoa: "Você não entende", "Você não se importa com meus sentimentos", "Você sempre tem de vencer". Você não gosta de se sentir assim e, mais importante, sua família também não gosta.

Os *designers* de interiores enfrentam esses tipos de conflitos quando tentam projetar espaços confortáveis que reflitam os estilos e interesses de cada membro da família. É por isso que eles fazem tantas perguntas sobre a família: idade, cores preferidas, texturas prediletas, itens favoritos, etc. Com essas informações, tornam-se mais capazes de escolher um *design* que combine com o estilo único daquela família.

Essa mesma abordagem funciona com nossas iniciativas pessoais. Queremos modernizar e personalizar nossa casa de um jeito que toda a família fique feliz e confortável, mas isso é algo mais fácil de falar que de fazer. Como disse Shannon: "Quero que nossa casa seja um lugar acolhedor, onde as crianças possam brincar, mas também não quero brinquedos espalhados pela casa inteira. Encontrar um meio-termo pode ser complicado".

É claro que essa divergência sobre como decorar a casa não será o pior conflito que um casal terá. Vocês até *gostariam* que esse fosse o único motivo pelo qual discutir. Mas e as diferenças na educação e na disciplina dos filhos? Na gestão do tempo? No uso do dinheiro? Em relação ao envolvimento dos sogros? E nas crenças e práticas religiosas? Esses tipos de conflitos, se não resolvidos, podem gerar problemas de longo prazo para os casais.

Assim como os casais, pais e filhos também vivem conflitos intensos quando o assunto é a hora de dormir e de chegar em casa, o tempo com os aparelhos eletrônicos, punições justas e falhas na comunicação. Podemos pensar: "Os pais é que dão as cartas, os filhos devem apenas fazer o que eles mandam". Sim, pode até ser verdade, mas à medida que os filhos crescem as opiniões deles precisam ser ouvidas. Trate-os como as pessoas que eles são. Mas é evidente que os pais devem ter a palavra final com base naquilo que pensam ser o melhor para os filhos.

Esses padrões constantes de conflito são questões de melhoria no lar que vejo com frequência em meu trabalho com pessoas. Muitos casais e pais querem ter menos brigas e mais paz e harmonia em casa. Como seu auxiliar de "melhoria no lar", eu primeiro os incentivo a largar o cabo de guerra imaginário. Vamos parar de brigar. Estamos no mesmo time.

Nem todas as diferenças de opinião resultam em conflitos. Ele gosta de peixe. Ela prefere frango. A cor favorita dele é verde; a dela é lilás. Esses detalhes não são conflitos, são apenas preferências pessoais. Os conflitos em um relacionamento familiar surgem quando duas pessoas discordam em uma questão e insistem que seu ponto de vista é o melhor. Um conflito geralmente é acompanhado de fortes emoções — normalmente a raiva.

Não queremos os conflitos. Eles simplesmente dão as caras no decorrer da vida. Está uma noite perfeita e agradável, até que ela diz: "Gostaria muito que passássemos o Natal com meus parentes". E ele responde: "Querida, acho que não consigo ficar lá cinco dias inteiros". E assim surge um conflito.

O conflito é inevitável simplesmente porque somos humanos. Temos pensamentos, sentimentos, preferências e opiniões diferentes. O segredo para a harmonia familiar é aprender a gerenciar os conflitos sem causar danos no relacionamento. É aqui que a conciliação como ferramenta de aprimoramento familiar passa a ser útil.

POR QUE CONCILIAR?

"Estou cansado de brigar." Essa é uma frase que Shannon e eu escutamos com frequência no aconselhamento. Esse sentimento é também a principal razão pela qual as pessoas estão dispostas, ou deveriam estar, a adotar a conciliação como uma ferramenta valiosa de melhoria no lar. Se você está cansado de brigar, em algum momento terá de aprender a fazer concessões.

Conciliar pode significar achar um meio-termo entre nós e a outra pessoa. Poderia até ser um "meio" exato, no qual ambos os lados se ajustam na mesma proporção. Por exemplo, para o casal que está em conflito para decidir com qual família passar o feriado, um meio-termo exato seria um revezamento entre os sogros para o Natal e a Páscoa, de forma que cada família venha em pelo menos um feriado durante o ano. Ou vocês podem visitá-los de forma rotativa.

Na conciliação também pode haver menos que 50% de concordância. Por exemplo, a filha adolescente quer baixar músicas usando um aplicativo popular. A mãe pode até permitir, mas somente com sua supervisão, e perguntando periodicamente sobre o tipo de música que a filha ouve e conversando sobre as letras dessas músicas. Dessa forma, em vez de não permitir que a filha baixe as músicas, a mãe está lhe dando um pouco de liberdade, mas não liberdade total.

Coloque-se nessas situações. Em ambos os casos, você está tecnicamente fazendo as coisas do seu jeito, e também permitindo que a outra pessoa faça do jeito dela. Você também está potencialmente eliminando as brigas ao estabelecer com clareza qual é o novo acordo. Eu digo "potencialmente eliminando as brigas" porque conciliar não é apenas encontrar um consenso para estabelecer um meio-termo; conciliar também tem a ver com mudança de atitude. Se queremos paz e harmonia, devemos apresentar uma atitude pacífica e harmoniosa em vez de uma atitude hostil que contribui para o conflito e a briga. Na conciliação, buscamos uma solução que seja boa para ambas as partes. Compare a conciliação com a briga. Numa discussão, cada um está tentando fazer as coisas do próprio jeito. Se você vence a briga, a outra pessoa perde. E não é divertido viver com alguém que perde; então, por que fazer alguém perder? Lembre-se, estamos no mesmo time.

Nossa postura geralmente tem uma grande influência na forma como processamos o conflito. Gosto da perspectiva da Shannon: "Podemos ver o conflito como uma barreira ou como um degrau. Sim, o conflito pode ser um aborrecimento, uma barreira. Mas também pode ser um degrau que nos impele ao entendimento mútuo e que estimula nossa habilidade de trabalharmos juntos, como equipe".

BARREIRA	DEGRAU
Paciência: baixa	Paciência: alta
Expectativas: do meu jeito	Expectativas: do nosso jeito
Postura: agressiva	Postura: gentil
Estilo: argumentativo	Estilo: aberto a conciliação

Uma atitude positiva, que considera a outra pessoa, torna a conciliação possível.

Você e eu sabemos que certas questões não permitem um meio-termo. Questões de segurança, questões relacionadas à confiança entre cônjuges ou entre pais e filhos, e certas convicções religiosas são algumas áreas nas quais a conciliação não é o melhor caminho. Talvez também haja rancor (capítulo 5) e raiva (capítulo 9), que precisam ser tratados antes que a conciliação seja possível. Tenha em mente que, em situações mais difíceis, talvez seja necessário o suporte de um terapeuta profissional para ajudá-lo a enfrentar mudanças mais sérias em sua reforma da vida familiar.

ELABORANDO OS PLANOS

Quando você escolhe conciliar em vez de brigar, existem três tipos possíveis de conciliação. Depois de ouvirem um ao outro de forma respeitosa e se perguntarem: "Como podemos resolver o conflito?", você precisará explorar estas três opções.

1. Passarei para o seu lado.

Esposo >>>>>>>> | <<<<<<<< Esposa

Um de vocês concorda que, nessa questão, está disposto a aderir à ideia do outro.

2. Vou encontrá-lo no meio do caminho.

Esposo >>>>>>>> | <<<<<<<< Esposa

Esse é o meio-termo 50/50 que discutimos anteriormente.

3. Irei até você mais tarde.

Esposo >>>>>>>> | <<<<<<<< Esposa

Não conseguimos chegar a uma solução no momento. Então, vamos concordar em discordar e, talvez, voltar a esse ponto depois. Enquanto isso, vamos nos amar e nos importar um com o outro.

Às vezes, essa forma de conciliação pode ser permanente. Como o conflito da pasta de dente: você é do tipo que aperta no meio ou no fim? Para resolver, concordamos em comprar duas pastas de dente.

Reflita por um momento sobre como a conciliação pode

contribuir para a transformação que você está esperando fazer em sua casa. Consegue imaginar? Então, sua filha de oito anos aceita seu meio-termo: ela pode vestir qualquer uma das três opções para ir à escola, mas não aquele único item que tem insistido em usar. Ou seu marido aceita seu meio-termo: ele está disposto a reduzir os lanches não saudáveis em casa se você parar de incomodá-lo quando ele ocasionalmente extrapola no *buffet* da igreja ou de algum evento social. Outra opção para sua nova e aprimorada vida familiar talvez seja aceitar o pedido de seu filho de dezesseis anos por mais liberdade estendendo em uma hora o horário de chegada nas noites de sexta. Ou pode ser que, atendendo ao pedido de seu marido e como forma de conciliação, você finalmente concorde em ser mais gentil com sua sogra, mesmo que nem sempre entre em um consenso com ela.

Compartilho esses exemplos porque eles são relatos comuns de consenso em nosso trabalho com casais e famílias. Você tem suas próprias necessidades de conciliação. Quais são elas? Antes mesmo de encontrar um consenso entre você e seu cônjuge, filhos ou outros familiares, que mudanças de atitude *você* precisará fazer para se comprometer mais com a paz e a harmonia em casa?

Um casal com o qual trabalhei decidiu que ambos abririam mão de uma de suas atividades extracurriculares para que pudessem ter uma noite por semana juntos. Foi um acordo mútuo que significou desapontar algumas pessoas para que eles parassem de desapontar um ao outro. Encontrei-os meses depois, e eles compartilharam que esses encontros semanais haviam causado um impacto maravilhoso em seu casamento.

Outro casal com o qual trabalhei encontrou um jeito de dividir as responsabilidades familiares nas manhãs e noites, para que ambos se sentissem apoiados. Antes de terem filhos, eles podiam ir para o trabalho e voltar para casa na hora que quisessem. No entanto, quando a família cresceu, as rotinas matinais e noturnas passaram a exigir a cooperação de todos; do contrário, um dos dois ficaria sobrecarregado. Para se ajustarem, o casal encontrou um equilíbrio razoável: ela conseguiu manter seus exercícios matinais porque ele ajudava a preparar o café, embalar os almoços e vestir as crianças; e ele conseguiu continuar trabalhando até um pouco mais tarde alguns dias por semana porque ela assumiu a tarefa de buscar as crianças na escola e fazer o jantar nesses dias.

Ambos os casais mudaram suas atitudes. Passaram a priorizar seus interesses como casal, em vez de priorizarem os interesses pessoais. Por causa dessa mudança de atitude, a paz e a harmonia entre eles aumentou, e isso os ajudou a encontrar o meio-termo de que o casamento deles precisava para prosperar.

Ao vislumbrar como será sua vida familiar reformulada com mais conciliação, lembre-se de que não podemos evitar o conflito, mas podemos ajustar nossa reação a ele. Podemos adotar uma atitude mais pacífica e harmoniosa, e podemos ver o conflito como um degrau em direção a uma mudança positiva, em vez de uma barreira desnecessária.

FAÇA VOCÊ MESMO

Algumas pessoas são naturalmente boas em conciliar as coisas. Talvez porque foram criadas com modelos positivos que demonstraram hábitos saudáveis de conciliação, ou talvez porque aprenderam com as próprias tentativas e erros que a conciliação é o melhor caminho. Já algumas pessoas cedem demais, o que significa que deixam os outros fazerem as coisas do jeito que querem apenas para evitar discussão. E há aquelas que raramente cedem, as do tipo "do meu jeito ou de jeito nenhum".

Qual delas melhor representa seu modo de agir? Você está se saindo bem e não tem nada para mudar? Em caso afirmativo, parabéns por já ter a conciliação em sua caixa de ferramentas para os relacionamentos! Faça esse esforço por você à medida que conduz sua família na arte da conciliação.

Se você precisa avançar em seus esforços de conciliação, o que fará de forma prática? Como você já sabe, precisamos ser assertivos em nossos esforços de melhorias no lar — é, de fato, um projeto do tipo "faça você mesmo". Por quê? Porque, diferentemente de uma instalação de carpete, não podemos contratar alguém para vir e mudar nossa atitude, ou nos fazer ver o conflito como um degrau e não uma barreira — temos de fazer esse trabalho por nós mesmos.

O COMBO COMPLETO

Uma forma de envolver e incluir a todos nos esforços de conciliação é concordarem como família em pedir um intervalo durante os momentos de conflito. Qualquer um pode pedir esse tempo. Depois do tempo concedido, o próximo passo seria cada pessoa envolvida no conflito dizer, com calma, como se sente naquele momento. Juntos, então, discutem algumas possíveis opções para resolver o conflito, como uma equipe.

"Olha, até sou a favor de dizer para nossos filhos se acalmarem e fazerem uma pausa", Mikayla disse para Shannon. "Mas não sei se isso vai funcionar! Você não conhece nossos filhos! Na verdade, não sei nem se Ben e eu conseguimos ficar tão calmos assim sob pressão."

A exemplo de Mikayla e Ben, muitas famílias têm de se preparar para esse tipo de reação. A família precisa conversar antes sobre seu compromisso mútuo e sobre o desejo de continuar crescendo como equipe e de apoiar uns aos outros mesmo quando têm diferenças de opinião. Os pais podem escolher termos próprios para as crianças, a fim de explicar esse conceito a elas. Em alguns casos, os pais podem simplesmente se comprometer com uma abordagem mais pacífica e harmoniosa durante o conflito e, se for preciso, pedir um tempo sem dar explicações antecipadas para as crianças.

> Você precisa praticar o que prega, nos momentos fáceis e difíceis do conflito.

Se você, como adulto, não se comprometer com a paz e a harmonia, talvez não receba muito apoio na concessão de tempo e nos diálogos positivos. Você precisa praticar o que prega, nos momentos fáceis e difíceis do conflito. Os momentos difíceis serão penosos por um tempo, mas você pode e deve continuar reafirmando para seu cônjuge e seus filhos que você está comprometido com a paz e harmonia e quer trabalhar em equipe a fim de encontrar soluções pacíficas para os conflitos.

Mais uma vez, quando você e seus entes queridos utilizarem com êxito uma ferramenta de melhoria no lar, como a conciliação, reconheçam e celebrem isso como uma conquista importante. Quando você ou eles não conseguirem, reconheçam também, mas enfatizando o aspecto positivo: "Bom, pessoal, nós estragamos tudo. Mas vamos continuar tentando".

Você também deve dar um reconhecimento especial a seus filhos quando eles aceitarem suas decisões. Eles não precisam ficar felizes com todas as decisões, mas é de esperar que, por meio de suas regras, eles vejam e sintam que você se importa com a segurança deles e com a habilidade deles de obedecer a uma autoridade apropriadamente. À medida que crescem em responsabilidade e sabedoria, você poderá lhes dar mais liberdade. Às vezes você se cansará de ficar explicando essas coisas, mas em longo prazo ficará feliz por ter se mantido firme, e eles também ficarão.

SUANDO A CAMISA

Aumentar a conciliação a fim de resolver um conflito é algo que exigirá um trabalho árduo e sério. Na verdade, é por isso que os casais e as famílias têm dificuldade com o conflito: às vezes parece mais fácil brigar pelo nosso jeito do que trabalhar por resultados pacíficos que são de interesse mútuo. No fim das contas, porém, se queremos paz e harmonia, temos de estar dispostos a investir o tempo e o esforço necessários para encontrar o consenso sempre que isso for possível.

No capítulo 4, apresentamos a conciliação como ferramenta para realizar melhorias no lar. Segue agora um resumo com dicas importantes para neutralizar o conflito e aumentar a conciliação:

- **Dê fim ao cabo de guerra.** As diferenças de opinião são um fato da vida. Embora saibamos disso, combatemos uns aos outros como se não fosse certo ter opiniões diferentes. Lembre-se de que as diferenças de opinião e o conflito são admissíveis e até produtivos, desde que lidemos com eles de um jeito saudável. Afinal de contas, estamos no mesmo time!

- **Para vencer, busque a conciliação!** Procure oportunidades de deixar seus entes queridos verbalizarem suas opiniões e fazerem algo do jeito deles. Por exemplo, não faz diferença sua filha vestir a calça azul ou a lilás, desde que ela esteja de calças. Ou, no caso do seu marido que ama aquela velha poltrona, você pode reformá-la ou colocar uma manta por cima dela para ajudar a combinar com sua mobília nova; mas deixe-o ficar com a poltrona. Em ambos os exemplos, você e a outra pessoa ganham porque você valorizou a opinião dela e permitiu que fosse do jeito dela, em vez de impor o seu jeito.

- **Os meios-termos não são sempre iguais.** Às vezes, você e seus familiares vão chegar a uma conciliação equilibrada; às vezes, alguém terá de ceder mais que o outro. Espera-se que, como iguais, você e seu cônjuge sempre encontrem meios de honrar as preferências um do outro. Com as crianças, nem sempre será possível chegar a um meio-termo que agrade a todos, porque elas ainda não estão desenvolvidas o bastante para lidar com a liberdade que estão reivindicando. Nesses casos, você, como responsável, tem autoridade e, pensando no bem de seus filhos, pode até permitir um pouco de liberdade de escolha e/ou independência, mas no fim deve sempre optar pela cautela.

- **Mude sua atitude.** Se quer paz e harmonia no lar, precisa ter uma atitude pacífica e harmoniosa, em vez de uma atitude hostil, que contribui para os conflitos e as discussões. O resultado esperado é que sua atitude pacífica acabe contagiando os outros membros da família.

- **Veja o conflito como um degrau e não como uma barreira.** Pouca gente gosta de conflitos e a maioria os vê como uma perturbação, um problema. Mas, quando vemos o conflito como um degrau em direção a uma mudança positiva, isso influencia positivamente nosso modo de lidar com ele. Podemos conversar com nossos entes queridos sobre isso, para que todos pensem em como crescer juntos por meio do conflito.

- **A conciliação começa com você!** Nem sempre podemos esperar que a outra pessoa tome uma atitude. Em vez disso, temos de constantemente melhorar nosso uso da conciliação, para que sejamos exemplos e encorajemos os outros da família a fazer o mesmo.

- **Peçam um tempo.** Para que você e sua família desenvolvam o hábito da conciliação, reconheçam que estão em um momento de conflito, peçam um tempo e depois conversem sobre o que aconteceu e trabalhem juntos, como equipe, a fim de solucionar o conflito de um jeito pacífico. E, sim, a prática leva à perfeição. Sua família será melhor naquilo que praticar mais: o conflito ou a conciliação.

A GRANDE SURPRESA

Além de "eu te amo" e "desculpa", uma das frases que mais gostamos de ouvir como casal ou família é "tá certo, eu vou". É lógico que o tom no qual essas palavras são ditas faz grande diferença. Quando ditas de forma pacífica, elas expressam conciliação. E é isso que estamos buscando em nossa vida familiar: conciliação. Nem sempre é algo fácil de alcançar, porque uma diferença de opinião pode facilmente se transformar em conflito se não for bem administrada. Porém, se adotarmos atitudes pacíficas e harmoniosas e aprendermos a buscar a conciliação quando for possível, a tendência será vivermos com menos conflito, que é justamente o que muitos casais e famílias desejam.

Você e sua família estão embarcando em uma grande reforma familiar! É um trabalho difícil, mas precioso. Siga em frente!

FALE TUDO

1. Como sua família lidava com o conflito quando você era criança?

2. Quais são alguns dos seus pontos fortes e desafios quando se trata de lidar com o conflito?

3. Quais conflitos você e seu cônjuge já resolveram?

4. Quais são os conflitos mais comuns entre você e seus filhos? Como estão lidando com o conflito de forma positiva?

5. Como você explicaria para seus filhos pequenos sobre a necessidade de dar um tempo no conflito? Como acha que eles reagiriam?

META DE MELHORIA NO LAR:
Reduzir a mágoa.

FERRAMENTA DE MELHORIA NO LAR:
Escolher o perdão.

· 5 ·

ESCOLHA O PERDÃO

Precisamos de uma casa livre de cupins e de rancor
se queremos que ela sobreviva ao teste do tempo.

#paradescontrair

GARY: "O perdão resulta em 'felizes para sempre'": esse tem sido o meu objetivo e o da Karolyn durante toda a jornada. Felizmente, não precisei perdoar tanto quanto ela (não diga a ela que eu disse isso!).
#o perdão faz bem ao coração!

SHANNON: Meus filhos se comportam igualzinho a mim, o que significa que precisam exercitar muito o perdão!
#o perdão é a melhor reação de todas!

Ressentimento é uma palavra forte. Seu significado está ligado ao ódio e em geral envolve uma amargura duradoura, um rancor guardado por causa de algum erro que achamos que cometeram contra nós.

Alguns de vocês talvez leram a definição e pensaram: "Isso não acontece em nosso lar. Vou só passar os olhos por este capítulo e ir para o próximo". Como conselheiro, porém, descobri que há mais lares destruídos pela mágoa do que você pode imaginar.

Na verdade, a mágoa às vezes entra sorrateiramente em nosso relacionamento antes mesmo de nos darmos conta do que está acontecendo. E então, depois que o tempo passa, vemos e sentimos mais claramente o estrago que ela deixou.

Os cupins e outros insetos que devoram madeira fazem a mesma coisa. Eles passam despercebidos e danificam continuamente a fundação de nossa casa. Os danos hidráulicos e as alterações no solo têm um efeito similar: com o tempo, podem causar alterações no alicerce, ocasionando pisos irregulares, rachaduras nas paredes e portas e janelas que não fecham direito. Esses são os efeitos visíveis de um estrago literal no alicerce.

> A mágoa às vezes entra sorrateiramente em nosso relacionamento antes mesmo de nos darmos conta do que está acontecendo.

Mas como é a aparência do ressentimento, ou melhor, como é a voz do ressentimento em nossa casa?

"Ah, sim, você vai terminar de reformar nosso banheiro, assim que terminar de construir a edícula — aquela que você começou um ano atrás. Vou esperar sentada."

"O trabalho é sua prioridade máxima. Os outros ficam com o melhor de você. Eu? Eu fico com sua versão cansada, a versão que faz promessas e não cumpre."

"Você nunca percebe quanto a casa está limpa, que há coisas na geladeira e comida na mesa, que as crianças fizeram o dever de casa. Você acha que tudo se resolve sozinho. Não, sou eu que faço tudo. Eu. E com pouca ou nenhuma ajuda sua!"

"Mais uma vez, você está do lado da sua mãe, e não do meu. Por que será que não me surpreendo?"

"Você está sempre conferindo minhas mensagens e perguntando onde estive. Já passei no teste várias vezes. Não dá para deixar o passado no passado?"

Esses comentários cheios de ressentimento revelam a tensão e as "rachaduras" no alicerce dos relacionamentos desses casais. Refletem a dor que essas pessoas sentem — uma dor que se formou com o tempo, talvez de forma inicialmente imperceptível, mas que cresceu tanto que os casais agora sentem quase que um desdém constante um pelo outro.

"ESTOU MAGOADO COM VOCÊ PORQUE VOCÊ ESTÁ MAGOADO COMIGO"

Assim como os casais, pais e filhos também guardam mágoas uns dos outros. Os pais não gostam de admitir, mas é verdade. Eles às vezes, sutilmente ou não, ficam ressentidos com os filhos por causa do tempo e energia que demandam e pela forma como isso pode prejudicar a carreira e os objetivos de vida dos pais. Algumas crianças são mais difíceis de educar por causa de atrasos no desenvolvimento, problemas médicos ou conflitos de personalidade com um ou ambos os pais. Por vezes, as crianças não correspondem às expectativas dos pais. Isso pode contribuir para o ressentimento.

As crianças percebem como os pais se sentem em relação a elas e reagem da mesma forma. Em geral, vivenciam os próprios sentimentos de mágoa por não serem amadas de modo incondicional, ou por não terem ao seu dispor o tempo e energia de que elas encarecidamente precisam.

As crianças também podem se ressentir dos irmãos quando percebem uma preferência dos pais, ou quando acham que, de alguma forma, o irmão é melhor em algo (por exemplo, mais esperto, mais artístico, mais atlético, mais popular). Os irmãos também podem se subjugar ou até se ferir física e emocionalmente, e isso também pode causar ressentimento.

A dor, a decepção e a desilusão são características em todos os exemplos que acabei de compartilhar. Quando uma pessoa está ferida, decepcionada ou desiludida com o tratamento que recebeu ou está recebendo, ela culpa o outro por seus sentimentos. Essas condições — tanto o comportamento que causa a mágoa quanto o sentimento de mágoa — enfraquecem os elos e as conexões familiares.

As pessoas expressam ressentimento de modo diferente. Às vezes elas ficam envergonhadas por sentirem mágoa, e às vezes não querem admiti-la. Guardam esses sentimentos na mente e no coração, mas a mágoa acumulada acaba se transformando em uma explosão emocional. Algumas pessoas não vão falar sobre seus sentimentos com a família, mas vão contar para os amigos como são maltratadas em casa. Algumas outras vão expor sua mágoa de forma pacífica, pedindo uma mudança. Outras ainda vão confrontar um familiar, exigindo uma mudança (e nenhum de nós reage bem a uma exigência). As crianças mais novas geralmente não são capazes de expressar seus sentimentos com palavras, mas muitas expressam através de um comportamento agressivo.

Se a situação não for resolvida, a mágoa contra uma pessoa da família poderá desencadear um ciclo de ressentimentos. "Estou magoado com você" acaba virando um "estou magoado com você porque você está magoado comigo". Essa é mais uma razão porque nós, como família, precisamos aprender a lidar de forma mais rápida e assertiva com o ressentimento. Para isso, precisamos do perdão como ferramenta de melhoria no lar.

UMA ATITUDE DE ACEITAÇÃO

Corrie ten Boom experimentou na prática a liberdade decorrente do perdão. Ela e sua família foram presas em um campo de concentração nazista por esconder e ajudar judeus durante a Segunda Guerra Mundial. Mais tarde, ela perdoou os soldados nazistas pela crueldade deles porque se sentiu moralmente convencida de que não poderia viver livre e perdoada a menos que perdoasse e libertasse os que erraram com ela. Ela disse: "O perdão é a chave que abre a porta da mágoa e solta as algemas do ódio".[1]

Nossa mágoa contra alguém não prende a outra pessoa; ela prende a nós mesmos. Ela nos separa física e emocionalmente de nossa família. A mágoa gera uma distância entre nós e nossos entes queridos, que é o oposto do que queremos, ou seja, proximidade e conexão. A boa notícia é que nós também temos o poder de abrir a cela e arrebentar as correntes... quando perdoamos os outros.

Dizem que "um casamento feliz é a união de dois bons perdoadores".[2] Gosto disso! Diria ainda que uma família feliz está alicerçada no perdão e está sempre pronta a perdoar. Se queremos viver felizes para sempre, precisamos aprender a também viver perdoando para sempre.

Nenhum de nós é perfeito. Vamos errar uns com os outros nas pequenas e nas grandes coisas. Aceitar essa realidade é um passo importante no cultivo do espírito do perdão em nosso lar.

Na prática, primeiro escolhemos ter uma atitude de perdão ao encarar as "pequenas coisas". Chamo isso de tolerância ou paciência com as coisas que nos irritam no outro. Por exemplo, os fios de cabelo que o outro deixa na pia do banheiro, as roupas jogadas, ou o jeito que ele arruma a louça. Deveria ser fácil ignorar as pequenas coisas, certo? Mas não é. Muitas vezes, ficamos ressentidos porque nosso cônjuge não faz as coisas do nosso jeito.

Sendo assim, como lidar com as pequenas coisas? Tenho um plano de três passos que já ajudou muitos casais. A maioria das pessoas concorda que se irrita com certas coisas que o cônjuge faz ou deixa de fazer. Então vamos admitir que gostaríamos de encontrar uma forma positiva de processar essas irritações.

> Muitas vezes, ficamos ressentidos porque nosso cônjuge não faz as coisas do nosso jeito.

Primeiro, os dois concordam em estarem abertos para ouvir um "pedido de mudança" a cada duas semanas. Assim, seu cônjuge fará um pedido esta semana e na semana seguinte será a sua vez. (São 26 pedidos por ano. Deve ser o bastante. Veja desta forma: se você pudesse ver 26 mudanças este ano, seria um bom ano para você?)

Segundo, antes de fazer o seu "pedido de mudança", diga ao cônjuge três coisas que você aprecia nele. Por exemplo: "Gosto do fato de você sempre guardar seus sapatos no armário", "Amo que você faça o café da manhã", "Me sinto valorizado quando você diz que me ama".

Terceiro, você apresenta seu pedido: "Uma das coisas que tornaria minha vida mais fácil seria você tirar os fios de cabelo da pia do banheiro antes de sair de lá". O outro responde: "Vou tentar fazer isso".

Depois de fazer seu pedido, não o mencione de novo por pelo menos três meses. Dê-lhe tempo para mudar. Ele vai mudar tudo? Não! Vai mudar algumas coisas? Sim.

O que você faz com as coisas que não mudaram? Você tolera. Age com paciência. Aceita as imperfeições da outra pessoa, aquelas coisas que ela não consegue e não vai mudar. Você precisa aceitar a humanidade de cada um. Ninguém jamais fará tudo como você deseja que seja feito (e isso inclui seus filhos).

A pessoa sábia escolhe o caminho da aceitação, do "deixar pra lá", recusando-se a permitir que isso cause divisões. Aceitamos uns aos outros com nossas imperfeições. Não permitimos que a mágoa cresça em nosso coração. Escolhemos nos livrar desses sentimentos e substitui-los por uma atitude de amor. "Eu o amarei apesar de você continuar perdendo as chaves do carro a cada três dias". Não sofra por coisa pequena.

AS GRANDES QUESTÕES: DESCULPE-SE E PERDOE

O que dizer, porém, das "grandes questões"? Estou falando das palavras duras e grosseiras, de não conseguir se expressar na linguagem do amor do seu cônjuge, de passar mais tempo com os amigos que com ele, e de se recusar a ouvir a perspectiva do outro quando há um conflito.

O que fazer quando seu cônjuge de fato agir grosseiramente com você? Primeiro, vamos admitir que isso vai acontecer. Ninguém é perfeito. Todos perdemos a calma e, às vezes, dizemos coisas dolorosas na hora da raiva. Não temos de ser perfeitos para ter um casamento bom ou ser bons pais. Mas temos de lidar de modo eficiente com nossos erros. Isso implica desculpar-se e perdoar. Não existem casamentos duradouros sem que haja pedidos de desculpas e perdão.

Qual é a "grande questão" que sua família vem enfrentando? Como isso tem saído do controle ao longo do tempo? Pense sobre quais aspectos você e sua família discutem mais ou sentem mais tensão. Isso deve ser sua "grande questão", ou os problemas mais sérios que estão na base de seus problemas de relacionamento.

A exemplo de um pedreiro, ou talvez neste caso, de um engenheiro estrutural, você terá de investigar seu alicerce para saber quanto o estrago é danoso. Então saberá o que fazer para restaurar e alicerçar aquelas estruturas.

Posso sugerir o melhor local para começar? Desculpe-se por sua parte do problema. Não fique esperando seu cônjuge pedir desculpas. Talvez você ache que ele é responsável por 95% do problema, e você só por 5%. Então lide com seus 5%. Reconhecendo suas próprias falhas, você facilita para que seu cônjuge peça desculpas.

Deixe-me também incentivá-lo a se desculpar com seus filhos quando seu comportamento ou suas palavras não forem gentis. Eles sabem que tal comportamento não é certo. Quando você pede desculpas, impede que eles construam um muro de mágoas em relação a você.

Quando você pedir desculpas, a outra pessoa talvez dirá: "Vou perdoá-lo se você me perdoar". Não seria bom? Isso abre as portas para a verdadeira reconciliação. Contudo, ela pode dizer: "Vou ter de pensar no assunto". Ela talvez precise de tempo para processar os próprios sentimentos de mágoa e ressentimento. Não a pressione para perdoá-lo. O perdão é uma escolha. Dê-lhe tempo para dar a resposta.

Se seu cônjuge pedir desculpas, espero que seja rápido em perdoar. O perdão significa que você vai anular a sentença, livrar-se da mágoa e seguir em frente com o relacionamento. Inevitavelmente, e de modo compreensível, quando ensino sobre perdão sempre ouço a pergunta: "E se a pessoa não mudar? Ela pede desculpas, mas continua fazendo as mesmas coisas que me deixam magoado".

Essa é uma pergunta válida que, às vezes, precisa ser respondida com um "amor firme". Principalmente quando o cônjuge está sendo abusivo, desonesto, infiel, ou quando os pais estão lidando com adolescentes ou jovens adultos rebeldes. Ao lidar com situações tão desafiadoras e dolorosas quanto essas, a pessoa precisa ter muita sabedoria e buscar a ajuda de profissionais para saber como estabelecer limites saudáveis. Sem os limites, tendemos a seguir vivenciando os mesmos comportamentos negativos que, por sua vez, dificultam a diminuição da mágoa e o aumento do perdão. Com os limites, enviamos uma mensagem clara para nossos entes queridos de que certos comportamentos não vão e não podem ser tolerados. O esperado é que eles façam sua parte para que haja mudança e consertem o estrago que fizeram. Tudo isso leva tempo e exige esforço. Como no caso de um estrago mais severo no alicerce da casa, essas situações talvez exijam a ajuda de um especialista.

Devemos aceitar a realidade de que nutrir mágoa não trará mudanças. O pedido de desculpas e o perdão são ferramentas de aprimoramento familiar muito mais poderosas para gerar a mudança que desejamos.

ELABORANDO OS PLANOS

Vamos começar com a pergunta: "O que estou fazendo que fere meu cônjuge e o faz ficar magoado comigo?". Talvez ele já tenha lhe dito muitas vezes. Ou talvez você possa perguntar: "De que formas eu o magoei?".

À medida que avalia o estrago que causou, você tem de decidir qual será seu nível de comprometimento com o conserto do estrago. Uma vez que está lendo este livro, suponho que esteja levando a sério. Em caso afirmativo, seu plano para a mudança precisa envolver um domínio genuíno de seus comportamentos prejudiciais. Seus entes queridos precisarão ver e, principalmente, sentir que você está de fato arrependido. Com esse desejo no coração, você estará pronto para expressar uma desculpa necessária e genuína, mas só dizer "sinto muito" não será o suficiente.

A dra. Jennifer Thomas e eu escrevemos um livro intitulado *As 5 linguagens do perdão*. Nesse livro, falamos sobre cinco expressões específicas de perdão:

1. Manifestação de arrependimento. "Desculpe-me pelas vezes que elevei meu tom de voz e gritei com você". Diga pelo que você sente muito e jamais acrescente declarações do tipo: "Mas se você não tivesse... então eu não faria...". Dessa forma você já não está pedindo perdão, e sim culpando o outro pelo seu mau comportamento. "Sei que feri você e me arrependo profundamente."
2. Aceitação da responsabilidade. "Eu estava errado. Não deveria ter feito aquilo. Não há justificativa para o que fiz. A responsabilidade é toda minha."
3. Compensação do prejuízo. "O que posso fazer para consertar isso ou fazer a coisa certa?"
4. Arrependimento genuíno. "Não quero mais agir desse modo. Você pode me ajudar a encontrar um jeito de não fazer isso de novo?"
5. Pedido de perdão. "Por favor, você me perdoa?" ou "Espero que lá no fundo você consiga me perdoar. Te amo".

Muitas vezes, as pessoas dizem: "Não consigo acreditar que essa pessoa está arrependida de verdade". Por que elas dizem isso? Porque um mero "lamento" não transmite sinceridade. Muitos de nós estamos dispostos a perdoar quando percebemos que a outra pessoa está sendo sincera. Julgamos a sinceridade com base em como alguém pede desculpas. Essas cinco formas de expressar perdão o ajudarão a pedir desculpas de modo sincero. Se quer mesmo ver melhorias em seu relacionamento, seja humilde e peça perdão com sinceridade. Se fizer isso, verá as reformas familiares acontecendo! (Para mais ajuda nessa área, faça o teste do perdão no livro *As 5 linguagens do perdão*.)

Agora, se você é alguém que está retendo o perdão, também precisa fazer alguns planos. Está satisfeito em ficar preso no modo ressentimento/falta de perdão ou está pronto para assumir alguns riscos? Digo "risco" porque perdoar é algo arriscado. Você está basicamente dizendo para seu ente querido: "Sei que você não é perfeito. Tenho medo de que me machuque de novo. Mas eu o libero da mágoa que tenho contra você — eu o perdoo". Ufa! Isso, por si só, já é uma grande reforma no relacionamento! Com essa grande atitude, você restaurou uma conexão que estava danificada e rompida em seu relacionamento. Você espera que a outra pessoa veja e sinta esse apoio e se una a você no conserto do alicerce de sua vida familiar, e pelo menos está fazendo sua parte.

FAÇA VOCÊ MESMO

Fazer sua parte! Falar é mais fácil que fazer, não é? Queremos a mudança, mas queremos que os outros mudem antes de *nós* mudarmos.

Como acontece com todos os projetos de melhoria no lar, para diminuir o ressentimento e aumentar o perdão em sua casa você terá de "fazer você mesmo"! Terá de identificar sua parte no problema e então trabalhar em você primeiro, antes de esperar a mudança nos outros. Se você é a causa da mágoa, então, após se desculpar, comprometa-se em mudar seu comportamento. Mude um pouco de cada vez, até um dia se tornar uma pessoa verdadeiramente nova e melhor. Se você está nutrindo a mágoa, então comprometa-se a perdoar, depois trabalhe para mudar seu próprio comportamento. Pouco a pouco, você pode se tornar a pessoa que deseja ser.

Talvez você esteja disposto, mas tenha medo de mudar. Seu medo é legítimo e válido. Admitir que precisamos mudar exige honestidade e faz com que nos sintamos vulneráveis. E se você não cresceu em um lar onde as desculpas eram incentivadas? E se você admitir o erro e a outra pessoa não o perdoar? Você terá a vantagem de saber que deu o primeiro passo. Agora a responsabilidade está com o outro. Por outro lado, e se você perdoar, mas o comportamento da outra pessoa continuar nocivo? Então, confronte-a em amor e peça uma mudança. Talvez você precise aplicar o "amor firme", mas não viva com mágoa. Entregue o outro para Deus; entregue sua mágoa para Deus. A vida é muito curta para viver com rancor. Ou nós perdoamos se eles se desculparem, ou os entregamos para Deus se eles não pedirem desculpas. De todo modo, ficamos livres para encarar o futuro com um espírito positivo.

O desafio é: se você precisa perdoar, perdoe; se precisa parar com seus comportamentos nocivos, então pare. Pode não acontecer da noite para o dia, mas você precisa começar de algum lugar! Por que não agora?

 ## O COMBO COMPLETO

Tornar-se uma família perdoadora é um trabalho que exigirá o esforço de todos. A consistência em lidar com os erros e perdoar é algo que reestabelecerá um clima emocional positivo em sua família.

Para fazer todos participarem, recomendo que você comece com uma reunião familiar. Você pode dizer para sua família: "Sei que nenhum de nós é perfeito. Sei que vocês, crianças, já me ouviram gritar com seu pai/sua mãe. Isso não é correto. Pedi que o papai/a mamãe me perdoasse, e ele/ela me perdoou. Sei que, de vez em quando, perco a paciência e falo de modo rude com vocês, crianças. Isso é errado, e peço que me perdoem por isso. Quero que vocês também aprendam a pedir desculpas quando falarem ou fizerem coisas ruins uns com outros, ou com o papai/a mamãe. Quero que nossa família aprenda a pedir desculpas e perdoar. Se acham que preciso pedir desculpas, vocês têm permissão para dizer: 'Papai/mamãe, acho que você precisa se desculpar'. Assim vamos aprender a ser uma família perdoadora, certo?". Provavelmente sua família vai aderir.

> O perdão não apaga a lembrança, mas nos liberta para construirmos um futuro melhor.

Em seguida, você pode pedir que cada um faça uma lista de coisas que outras pessoas da família fizeram que os machucou e uma lista de coisas que eles disseram e fizeram que machucaram outros. Depois, dê um tempo para cada um ler sua lista para os demais. Assim, podem expressar o perdão uns aos outros. Chamo isso de festa familiar do perdão. E pode ser o começo de um novo tempo em seu relacionamento familiar.

Pedir e liberar perdão são duas ações igualmente libertadoras. Isso não significa que esqueceremos no mesmo instante a ofensa ou o erro, mas é um passo inicial na direção certa. O perdão não apaga a lembrança, mas nos liberta para construirmos um futuro melhor.

Faça do seu lar uma zona livre de ressentimentos. Vocês não vão mais guardar mágoas uns dos outros; em vez disso, vão aceitar as próprias imperfeições e, assim, aceitar as imperfeições dos outros. Você e eles podem e devem trabalhar juntos para aperfeiçoar determinados comportamentos que têm causado problemas em casa. Talvez seja necessário contratar um especialista em reformas na vida do lar (os chamados conselheiros familiares) para ajudá-los a prestar contas da mudança, mas se é de mudança que vocês precisam, então é agora, e não depois, a hora de fazê-la.

"Antes de ensinarmos nossos filhos a perdoar de verdade uns aos outros, Sam e eu temos de aprender a fazer isso", foi o que Ellen disse para Sam e para mim, em uma de nossas primeiras sessões de aconselhamento. Ellen e Sam ficaram com os olhos cheios de lágrimas enquanto ela falava, pois ambos estavam sentindo a dor de nutrirem mágoas contra o outro. Tanto eles quanto eu sabíamos que havia muito trabalho a fazer, mas ao buscar aconselhamento eles tiveram um ótimo começo.

SUANDO A CAMISA

Se você já conhece o poder curador do perdão, então sabe que valem a pena a aceitação, a vulnerabilidade e o trabalho árduo envolvidos para que ele seja alcançado. Se você ainda não conhece o poder curador do perdão, talvez fique cético. De qualquer forma, para se ver livre da mágoa e restaurar o estrago feito no alicerce do seu relacionamento, você e sua família terão de praticar o perdão todos os dias até que ele se torne parte natural da vida familiar.

No capítulo 5, apresentamos o perdão como ferramenta para realizar melhorias no lar. Segue agora um resumo com dicas importantes para diminuir o ressentimento e aumentar o perdão:

- **Preste atenção!** Mudanças estruturais acontecem gradualmente, tanto no alicerce da casa quanto no de nossa família. Não podemos reparar um dano se não o conhecemos. Prestar atenção e agir rápido é a melhor solução. As "pequenas questões" podem ser reconhecidas, perdoadas e mudadas mais facilmente no início, em vez de permitir que a mágoa cresça com o tempo e cause mais estragos.
- **Avalie honestamente.** Cedo ou tarde precisaremos ser honestos sobre nossa parte nos problemas de relacionamento. Em que ponto precisamos perdoar mais? Em que ponto precisamos mudar uma atitude que está magoando alguém? Assim como nas inspeções de uma casa, uma avaliação honesta é o ponto de partida para as melhorias familiares que desejamos e precisamos fazer.

> Não podemos reparar um dano se não o conhecemos.

- **Sem atalhos!** Um dano estrutural é algo sério e que exige reparos sérios. No caso dos relacionamentos familiares, dizer tão somente que lamenta não será o suficiente para provar que você está arrependido e levando a sério a mudança. Se realmente quer salvar sua vida familiar, comprometa-se com a mudança. Então, siga em frente, não apenas com um pedido genuíno de desculpas, mas também com um comportamento consistente de mudança.
- **Quebre o ciclo da mágoa.** Esse ciclo não leva a nenhum lugar bom, então pare de guardar rancor contra alguém porque essa pessoa está guardando rancor contra você. Aceite que ninguém é perfeito. Desculpe-se pelos próprios

erros. Seu exemplo pode levar o outro a também se desculpar. Diga-lhe que você está empenhado em fazer melhorias reais e duradouras.

- **Escolha a mudança.** Se precisa perdoar, perdoe! Se precisa parar com os comportamentos que geram mágoa, pare! A mudança raramente é fácil, e sempre exige tempo e esforço. Talvez seja necessário até fazer uma prestação de contas aos membros da família, aos amigos, a um conselheiro, ou a Deus. Mas empenhe-se nisso.
- **Comece aos poucos e vá aumentando!** Perdoar exige prática. Comece com as "pequenas questões". Peça uma mudança e, se pode realizá-la, por que não mudar? Façam a vida ser a mais agradável possível uns para os outros. Se os outros não mudarem, então aceite a humanidade deles e ignore as coisas menores. Conforme você e sua família forem adotando uma atitude perdoadora nas pequenas questões, incentivarão essa mesma atitude perdoadora nas grandes questões que demandam perdão.
- **Arrisque-se sendo vulnerável.** Admitir que falhamos — que deixamos de perdoar ou que causamos mágoas — exige vulnerabilidade, o que pode ser assustador. Com esforço, porém, podemos tanto admitir quanto aceitar que nós e nossos entes queridos erramos e vamos errar novamente. É o começo do perdão e da liberdade!

A GRANDE SURPRESA

O relato a seguir pode ajudá-lo a vislumbrar a recompensa de se ter mais perdão no lar. Shannon é quem conta: "Uma mulher que ajudei certa vez foi honesta sobre a mágoa que sentia. Seu marido havia priorizado a compra de 'brinquedos', como ela os chamava, e ao fazer isso tinha tirado dela os recursos financeiros para as coisas que ela queria e das quais precisava. Como resultado, ficou magoada com ele. Eu validei seus sentimentos, mas a desafiei a avaliar como essa mágoa a estava aprisionando e distanciando os dois emocionalmente. Ela foi honesta consigo mesma e começou a abrandar o coração em relação ao marido. Admitiu que a mágoa a tinha afastado dele. O marido também estava disposto a mudar. Com o tempo, e com aconselhamento, foram capazes de perdoar um ao outro pelas mágoas que haviam nutrido".

Sejam quais forem seus planos para diminuir a mágoa e aumentar o perdão, comece imaginando como será libertador perdoar e ser perdoado. Deixe que essa liberdade o impulsione em seus esforços de aprimoramento do lar!

FALE TUDO

1. Pense em um momento em que você errou, mas foi capaz de se perdoar e ser perdoado por outra pessoa. Como essa experiência pode ajudá-lo a se perdoar e perdoar sua família hoje?

2. Quais comportamentos de seus familiares têm contribuído com seus sentimentos de mágoa? Como você tem expressado mágoa contra eles?

3. Como seus familiares têm expressado mágoa contra você?

4. Qual o próximo passo que você está disposto a dar a fim de atender à necessidade de sua família de aumentar o perdão no lar? Considere a possibilidade de ouvi-los sobre os próximos passos deles também.

META DE MELHORIA NO LAR:
Arrumar a confusão.

FERRAMENTA DE MELHORIA NO LAR:
Melhorar a comunicação.

· 6 ·

MELHORE A COMUNICAÇÃO

Tudo flui melhor quando os canos estão desentupidos.

As pias e torneiras podem ser lindas, mas se os canos estiverem entupidos ou vazando, teremos problemas. Na melhor das hipóteses, sons de goteira e um escoamento lento; na pior, uma corrosão ou algum dano hidráulico.

Por causa das semelhanças entre a comunicação e os canos de nossa casa, ao conversar com casais e famílias sobre melhorias no lar eu pergunto: "Suas vias de comunicação estão livres, entupidas ou vazando?".

Uma via de comunicação livre é aquela na qual as pessoas evitam a confusão ouvindo para entender e reagindo de forma compassiva, principalmente em situações tensas. Qualquer um pode ouvir e agir de forma positiva em situações tranquilas; as situações tensas é que são o verdadeiro teste para nossas habilidades comunicativas e para nosso compromisso com uma comunicação compreensiva e edificante.

Uma via de comunicação entupida é aquela na qual não estamos nos expressando ou ouvindo os outros de modo eficiente, o que resulta em confusão. Eis algumas causas comuns de obstrução na comunicação: distração para ouvir, reações insensíveis, palavras rudes, hora errada, tom áspero, atitude ruim, postura fria ou de desdém, "síndrome do papagaio" ou informações insuficientes ou vagas.

Uma via de comunicação com vazamento é aquela na qual confundimos os outros ao nos expressarmos com muitos detalhes, muito "drama", muito egocentrismo. Por mais problemáticas que sejam essas causas comuns de vazamento, elas podem simplesmente ser parte da personalidade da pessoa, ou algo ligado à sua idade e fase de vida. E isso pode exigir mais aceitação e paciência por parte do restante da família.

A falta de apoio emocional é outra causa comum de vazamento na comunicação. Às vezes, uma ou mais pessoas da família têm carências emocionais não atendidas e, como resultado, estão transbordando, ou "deixando vazar", emoções adoentadas em forma de confrontos improdutivos, rompantes de choro, explosões de raiva ou acúmulo de rancor. Os sentimentos adoentados por trás do "vazamento" geralmente são válidos e merecem atenção, assim como os vazamentos em nossa casa também precisam. Por mais que pensemos estar nos expressando com clareza, ou por mais que pensemos estar entendendo a outra pessoa, na verdade estamos falando e ouvindo através de vias de comunicação corrompidas. O resultado: desentendimento e mais mágoas.

Pessoas que possuem vias de comunicação livres às vezes procuram conselheiros para melhorar sua já eficiente comunicação. Mais frequentemente, são as vias de comunicação entupidas ou com vazamento que levam as pessoas a procurarem ajuda profissional. Às vezes, infelizmente, elas esperam demais para obter ajuda e a comunicação ou já ficou extremamente negativa ou se rompeu por completo.

É COM VOCÊ?

Está pensando nos problemas de comunicação de sua família? Talvez se identifique com os exemplos a seguir de problemas de comunicação que Shannon e eu frequentemente ouvimos no aconselhamento:

"Às vezes parece que falamos dois idiomas diferentes. Ela diz: 'Como você foi capaz de me falar isso?'. Eu digo: 'Como assim? Não foi o que eu quis dizer, de jeito nenhum!'"

"Meus pais simplesmente não entendem. Não consigo conversar com eles."

"Gostaria que meu filho adolescente conversasse comigo. Mas tudo o que recebo é uma virada de olhos e uma balançada de ombros."

"Eu pensei que você queria dizer outra coisa..."

"Quantas vezes preciso lhe dizer isso?"

"Estou cansada de ficar me repetindo."

"Engraçado, também me canso de ouvir você se repetindo."

"Não me lembrei de todas as coisas que você me pediu para fazer, então fiz só as que consegui lembrar."

"A família dela é barulhenta e cheia de opiniões. A primeira vez que fui passar o Natal com eles me senti um peixe fora d'água."

"A família dele é discreta, mas sei que ficam falando pelas costas. Preferia que me falassem o que estão pensando."

"Você sempre me interrompe."

"O silêncio dela é gritante. Já houve momentos em que ela passou dois dias inteiros sem falar comigo."

"Ele guarda rancor e relembra coisas do passado o tempo todo."

"Você está sempre tão bravo. Não sei o que espera de mim."

Esses e outros tipos de problemas de comunicação trazem uma série de emoções para os familiares, entre elas: frustração, raiva, tristeza e desânimo. Por mais importantes que sejam essas emoções, elas geralmente são resultados de entupimentos ou vazamentos nas vias de comunicação. Para diminuir a confusão, os casais e as famílias precisam de vias limpas de comunicação — uma ferramenta básica para a melhoria no lar.

POR QUE É TÃO DIFÍCIL FALAR E OUVIR?

Por que a comunicação é algo tão importante? Porque ninguém consegue ler a mente dos outros! Se vamos processar a vida como uma equipe, então preciso estar disposto a compartilhar com você um pouco do que estou pensando e sentindo, e você precisa estar disposto a ouvir. Então, você revela seus pensamentos e sentimentos e eu ouço. Mas por que é tão difícil falar e ouvir? Porque não fomos treinados para ouvir.

Dizem que, na média, uma pessoa ouvirá alguém durante dezessete segundos antes de interromper para dar sua opinião. Ouvimos para replicar, em vez de ouvir para entender o que o outro pensa e sente. Enquanto não entendermos os pensamentos e sentimentos do outro, é provável que nossa reação não seja assertiva, tornando-se improdutiva ou até destrutiva.

Quando seu cônjuge ou seu filho estiverem falando, imagine que você tem orelhas de elefante. Você está concentrado em ouvir, não em fazer uma réplica. Faça perguntas para garantir que compreende o que eles estão falando e sentindo: "Você está dizendo que está decepcionado porque eu falhei em...". Eles podem responder: "Sim, estou decepcionado, mas também estou com raiva porque acho que você foi injusto comigo".

> Nem sempre diremos a palavra perfeita no momento perfeito.

Como você deve reagir? Primeiro, valide os sentimentos deles: "Acho que consigo entender porque você ficou com raiva. Agora, deixe-me expor meu ponto de vista". Uma vez que você ouviu "o lado" deles, provavelmente estarão dispostos a ouvir o seu.

Em geral, parte do problema em lidar com os entupimentos e vazamentos de nossas vias de comunicação é que colocamos tanta pressão em nós e nos outros para que as coisas funcionem que, em vez de ajudar, acabamos prejudicando a comunicação. Então, o que podemos fazer para ter expectativas realistas no intuito de diminuir a confusão e aumentar a comunicação em nossa família?

Para começar, precisamos aceitar que todos nós somos seres humanos. Por isso, nem sempre diremos a palavra perfeita no momento perfeito. Vamos nos desentender, julgar erroneamente e perder oportunidades de agir de forma amorosa e solidária. E, sim, vamos exagerar em momentos estressantes, e isso não se aplica apenas ao seu bebê ou adolescente, mas a você também. Como alguém disse certa vez: "Aprendi que as pessoas vão se esquecer do que você disse e do que você fez, mas elas jamais se esquecerão de como você as fez se sentir".[1]

Às vezes erraremos em algum aspecto de nossa comunicação, mas isso não quer dizer que deixaremos de enxergar a pessoa por trás desse erro. Será que amamos nossa família o bastante para ouvir e falar uns com os outros com respeito, bondade, paciência e amor, e isso mesmo nos momentos difíceis? Será que nos desculparemos e pediremos perdão rapidamente quando percebermos algo ou quando nos falarem que erramos com nossas palavras, nosso tom de voz, nosso olhar, nosso descaso ou nossas explosões de ira? E será que nos comprometeremos a sempre melhorar em nossos esforços de comunicação?

ELABORANDO OS PLANOS

Para onde vamos agora? Como seus conselheiros de reforma na vida familiar, Shannon e eu queremos compartilhar com você nosso modelo *Top 5* de comunicação.

O *Top 5* consiste em cinco palavras: consideração, calma, clareza, concisão e coerência. Cada uma delas têm uma aplicação muito simples e prática para melhorar a comunicação em sua família.

Consideração. No capítulo 1, falamos sobre a atenção como uma ferramenta de melhoria no lar para diminuir o egoísmo. Ela também se aplica nesse caso. Para aperfeiçoar a comunicação com nossos entes queridos, precisamos levar em consideração não apenas nossos pensamentos e sentimentos, mas também os deles. Comece se perguntando o que está acontecendo com você para que não consiga ouvir, expressar-se ou reagir com os outros de forma positiva. Até as crianças podem aprender a responder a perguntas como: "Por que você acha que falou de maneira tão grosseira com sua mãe?" ou "Você acha que precisa pedir desculpas?". Refletir sobre nossas reações negativas é algo que nos ajudará a ter mais consideração no futuro.

Calma. Quantas vezes explodimos com nossos familiares por não conseguirmos controlar nosso humor? Para a maioria, a resposta é "muitas vezes". E isso não ajuda a melhorar a compreensão e o entendimento em nossas relações. As pessoas dirão: "Mas eu sou calmo!". Ou: "Como manter a calma assim?". Bem, talvez a sua "calma" e a minha "calma" sejam duas coisas diferentes. E é óbvio que de vez em quando precisamos expressar decepção e reprovação. Mas manter a calma, ou melhor, ter mais calma que o normal é algo que nos ajuda a estabelecer uma comunicação clara sem gerar dano aos nossos relacionamentos.

> Quantas vezes explodimos com nossos familiares por não conseguirmos controlar nosso humor? Para a maioria, a resposta é "muitas vezes".

Clareza. Às vezes, as pessoas falam demais ou falam de menos. A pessoa que está ouvindo acaba se perdendo nos detalhes ou precisando de mais informação para entender a intenção de quem fala. Também pode ficar distraída, seja por alguma coisa à sua volta ou por uma "distração" emocional, como uma mágoa não perdoada. Acrescente a isso uma comunicação não verbal potencialmente negativa, como revirar os olhos, dar de ombros, fazer caretas e olhares reprovadores, e você terá uma receita perfeita para a confusão! Como resolver isso? Falamos menos ou falamos mais; minimizamos as distrações; perdoamos (veja o capítulo 5); não nos excedemos diante das reações não verbais do outro; e monitoramos as nossas reações. Será que tudo isso é fácil? De maneira nenhuma! Mas esses esforços levarão a uma comunicação mais clara.

Concisão. Menos é mais! Fale muito se preferir, mas as pessoas vão se lembrar dos pontos mais importantes. Como interlocutor, garanta que seus pontos mais importantes estejam claros. Como ouvinte, sinta-se à vontade para solicitar mais clareza. "Qual é o ponto mais importante? Quero ter certeza que entendi." Ser conciso é bom especialmente para orientar crianças ou pessoas em circunstâncias estressantes. Quanto mais claro e conciso, melhor!

Coerência. As circunstâncias mudam, e isso exige um pouco de flexibilidade de nossa parte. Entretanto, quanto mais coerentes pudermos ser em nossas reações, mais nossos entes queridos vão esperar e aceitar essas reações. Se dissermos: "Estarei em casa às seis da tarde" ou "Vamos trazer algo da padaria para você", então precisaremos nos esforçar para manter o que dissemos, evitando circunstâncias inesperadas. As circunstâncias inesperadas exigem que nossos familiares pratiquem a flexibilidade.

FAÇA VOCÊ MESMO

O modelo *Top 5* não é bom apenas para seu cônjuge e seus filhos, é bom para você também! Examinar os pontos fortes e fracos de sua comunicação e depois melhorá-los é uma ótima maneira de dar o exemplo para a família.

Quais são os pontos fortes e fracos de sua comunicação? Como você desenvolveu esses pontos fortes e minimizou os pontos fracos?

Você deve incluir sua família na identificação de seus pontos fortes e fracos de comunicação. Pergunte a eles: "O que eu costumo fazer para demonstrar que estou ouvindo?", "O que você gostaria que eu fizesse para mostrar que me importo quando você está falando comigo?", "Tem alguma coisa que faço ou digo que irrita você?".

Cali riu quando sugeri essa abordagem. Ela disse: "Ótimo! Estou sempre fazendo essas pesquisas sobre comunicação e pensando nessas coisas, então vai ser divertido. Claro que eu nunca perguntei algo do tipo para minha família, então estou curiosa para ouvir o que eles vão dizer".

Assim como Cali, você deve realizar essa tarefa de forma imparcial; não reaja com exagero se sua família disser algo ofensivo. Em vez disso, diga-lhes que analisará os comentários com carinho e investigará um pouco mais. Inclua nessa investigação uma reflexão sobre sua infância e seus relacionamentos anteriores. Pense em como essas experiências do passado influenciaram seus padrões de comunicação. Alegre-se com as habilidades positivas de comunicação que adquiriu ao longo do tempo, mas questione o motivo de ter preservado eventuais características negativas de comunicação.

Você pode também analisar quais hábitos de comunicação do seu cônjuge e dos seus filhos desencadeiam em você reações positivas ou negativas. Esse tipo de avaliação visa identificar experiências positivas e negativas do passado que afetam nossas reações no presente.

Felizmente, sejam quais forem seus pontos fracos de comunicação, não é o fim da história. Todos nós podemos e devemos "reescrever" nossa história a fim de melhorar as coisas antigas e aprender novos e melhores hábitos de comunicação. E é assim que funciona um projeto "faça você mesmo"!

O COMBO COMPLETO

Shannon comenta que às vezes se envolve em "guerra de loja" com seus filhos. Se você tem filhos ou netos, sabe do que estamos falando. As guerras de lojas acontecem porque crianças são crianças e nem sempre entendem ou aceitam que não podem levar um brinquedo todas as vezes que vão a uma loja. As guerras de lojas também acontecem porque, a exemplo de Shannon, os pais nem sempre são coerentes ao dizer sim ou não. "Gostaria de poder dizer que meus filhos me venceram com o passar do tempo, ou me pegaram em momentos de fraqueza, mas a verdade é que eles continuam pedindo brinquedos porque fui incoerente com minhas respostas no passado. Eu dizia: 'Desta vez você não vai levar o brinquedo', mas acabava mudando de ideia."

O comportamento de Shannon não é incomum. Quer nas mensagens incoerentes quer em outras questões, a maioria de nós precisa aperfeiçoar nossa comunicação, e isso exige a participação de toda a família.

Recomendo que todos os membros da família sejam envolvidos e incluídos ao praticarem o modelo *Top 5* para o aprimoramento da comunicação. Isso exigirá um pouco de ensino da sua parte. Há várias formas criativas de ensinar o modelo *Top 5*, mas uma delas é escrever as cinco dicas de comunicação num painel ou quadro em algum lugar da casa, para que fiquem visíveis para toda a família. Vocês podem até fazer uma lista pessoal, de modo que, cada vez que alguém flagrar o outro mostrando consideração, calma, clareza, concisão ou coerência, terá a oportunidade de fazer uma anotação ou colar um adesivo no quadro.

SUANDO A CAMISA

Talvez em sua casa exista uma pia com escoamento lento, em que a tubulação foi se entupindo com o tempo. Você aprendeu a conviver com isso porque não queria lidar com um encanador. Em algum momento, porém, terá de pegar o telefone. É a mesma coisa com os entupimentos e vazamentos nas vias de comunicação. Pode até dar certo se as vias não estiverem muito entupidas ou com muito vazamento, mas depois de um tempo terão de decidir: "Será que queremos continuar nos tratando desse jeito ou podemos fazer melhor? Será que conseguimos consertar nossa comunicação, para que ela flua com mais clareza e suavidade entre nós?". A resposta é sim, você e sua família podem e devem envidar esforços para desobstruir as vias de comunicação. O trabalho árduo valerá a pena!

No capítulo 6, apresentamos a comunicação como ferramenta para realizar melhorias no lar. Segue agora um resumo com dicas importantes para desfazer a confusão e melhorar a comunicação:

- **Confira seus canos!** Entupimentos e vazamentos podem surgir antes mesmo de você perceber, mas também podem ser algo de que você está ciente e permitindo que aconteça há muito tempo. Um monitoramento frequente e reparos cuidadosos e diligentes podem não só limpar as vias de comunicação entre você e seus entes queridos, mas também evitar mais estragos e falhas de comunicação.
- **Não espere demais.** Talvez você conheça bem o sofrimento emocional gerado quando esperamos demais para reparar falhas na comunicação. Talvez saiba disso porque seus

pais não tiveram uma comunicação saudável com você em sua infância, ou talvez por causa de seus próprios hábitos ruins de comunicação em relacionamentos anteriores. Agora é o momento perfeito para cuidar dos entupimentos e vazamentos nas vias de comunicação. O esforço de agora o poupará de muitos arrependimentos futuros.

- **A comunicação faz a diferença!** Você e sua família desejam a mesma coisa: ser compreendidos e incentivados. Vocês podem atingir esses objetivos, apesar de seus pontos fortes e fracos de comunicação serem diferentes. Em vez de ficar chateado, decepcionado ou desmotivado por causa dos entupimentos e vazamentos nas vias de comunicação de seus familiares, ajude-os e permita que eles o ajudem à medida que trabalham juntos para limpar as vias de comunicação entre vocês.

- **"Perfeito" é impossível.** Você e seus entes queridos nem sempre dirão a coisa certa na hora certa. Todavia, o modo como trataram uns aos outros ficará por muito tempo na lembrança de vocês. Então, em vez de trabalhar em busca de uma comunicação "perfeita", ouça o melhor que puder, fale gentilmente, peça esclarecimentos sempre que precisar, desculpe-se quando ofender alguém e não perca de vista o fato de que vocês desejam realmente entender e apoiar uns aos outros.

- **Não culpe todo mundo.** Assim como você, os membros de sua família têm alguns hábitos de comunicação irritantes e negativos, e, sim, eles desencadeiam alguns dos seus hábitos ruins. Mas cada um de nós tem de se responsabilizar pelo próprio erro na comunicação. Esforce-se para corrigir seus maus hábitos em vez de enfatizar os maus hábitos dos outros.

- **Chega de guerra de loja!** Certamente não podemos culpar nossos filhos pelos entupimentos e vazamentos em nossas vias de comunicação. À medida que melhoramos os nossos hábitos de comunicação, veremos uma melhoria nos hábitos de comunicação deles.

- ***Top 5!*** Decidam juntos, como família, que encorajarão uns aos outros a cumprir os cinco princípios do *Top 5*: consideração, calma, clareza, concisão e coerência. E, toda vez que conseguirem atingir o *Top 5*, celebrem juntos o seu sucesso!

A GRANDE SURPRESA

Imagine você e cada membro de sua família dizendo estas frases:

"Obrigado por me ouvir."

"Obrigado por colocar o celular de lado e olhar para mim enquanto falo com você."

"Obrigado por perguntar o que eu quis dizer em vez de imaginar o pior."

"Obrigado por valorizar minha opinião."

"Obrigado por não fazer de tudo uma piada."

"Obrigado por sua paciência."

"Obrigado por me apoiar em todas as situações."

"Pode deixar. Nós vamos."

"Não sei o que faria sem você."

"Dou graças a Deus por sua vida."

Essas frases não soam como um bálsamo? Elas representam as surpresas maravilhosas que podem ser vivenciadas por casais, pais e filhos. Nem sempre elas fluem facilmente, mas talvez não estejam tão longe quanto você imagina. Vocês vão conseguir!

FALE TUDO

1. Que sinais de entupimento ou vazamento nas vias de comunicação você tem visto em sua família ultimamente? Qual tem sido o resultado?

2. Nesta semana, fique atento quando alguém de sua família estiver demonstrando consideração, calma, clareza, concisão ou coerência na comunicação com você. Lembre-se de expressar seu apreço por eles.

3. Você já foi tentado a culpar alguém pelos vazamentos ou entupimentos em suas vias de comunicação? Pediu desculpas? Você já recebeu a culpa pelo entupimento ou vazamento nas vias de comunicação de outra pessoa? Ela se desculpou?

META DE MELHORIA NO LAR:
Reduzir o controle.

FERRAMENTA DE MELHORIA NO LAR:
Intensificar a confiança.

• 7 •

INTENSIFIQUE A CONFIANÇA

Podemos controlar termostatos; não podemos
controlar pessoas.

#paradescontrair

GARY: Mais cedo ou mais tarde, seus filhos deixarão o ninho (talvez eles voltem em algum momento).
#garanta que eles saibam onde você mora

SHANNON: Oi, meu nome é Shannon. Luto diariamente para tentar não controlar tudo e todos ao meu redor.
#acredite, a vida flui bem sem você e eu tentando controlá-la demais

---

Conversas sobre eficiência energética na refrigeração e no aquecimento têm sido e continuarão sendo importantes no mundo da reforma domiciliar. Por quê? Porque eficiência energética representa economia financeira, o que libera recursos para outras necessidades importantes da vida. Além disso, a eficiência energética ajuda na preservação dos recursos naturais do mundo, e isso também é algo importante a considerar.

Dada a importância da eficiência energética, não podemos nos dar ao luxo de negligenciar nossos sistemas de refrigeração e aquecimento quando reformamos nossa casa. Às vezes somos induzidos a mudar apenas aquilo que vemos (paredes, chão, utensílios e instalações), mas não seremos capazes de desfrutar deles se estivermos desconfortáveis com os problemas não solucionados de climatização.

Assim como nossas casas, nós, como seres humanos, também lidamos com questões de eficiência energética. Em meio a outras coisas, temos problemas com o "termostato". Estou falando da temperatura emocional. Podemos estar quentes num dia e frios no outro. Precisamos de mais estabilidade, a fim de não ficar verificando o termostato a toda hora. Controlar nossa "temperatura" interna (humor, escolhas, etc.) já é bastante desafiador, mas além disso também tentamos controlar pensamentos, sentimentos e escolhas de nossos familiares. Tentar controlar tudo e todos à nossa volta não é algo sustentável em longo prazo; além disso, não representa eficiência energética. Na verdade, quando controlamos excessivamente nossa família, acabamos gastando uma energia preciosa e prejudicando relacionamentos valiosos.

Quando converso sobre controle com casais e famílias, geralmente menciono formas saudáveis e formas nocivas de controle. Por exemplo, não deveria existir controle em um relacionamento adulto saudável; então, se isso é um problema para você e seu cônjuge, talvez precisem buscar um "especialista em reformas familiares" (conselheiro profissional) para ajudá-los a melhorar na questão de sentir e expressar respeito mútuo. Teríamos muito a dizer sobre controle no casamento, mas neste capítulo escolhemos focar os desafios que os pais enfrentam ao controlar e/ou confiar em seus filhos. Descobrimos que esse é um problema que afeta a maioria dos pais.

O CONTROLE: QUAL É O EQUILÍBRIO IDEAL?

O controle é um processo legítimo e necessário na educação dos filhos, pois eles necessitam de direção e correção. À medida que crescem e ganham experiência de vida, são mais capazes de assumir o controle e a responsabilidade pelas decisões que tomam. E nós, como pais, podemos gradualmente exercer menos controle.

Tudo isso parece ótimo e muitos de nós, como pais, concordamos. Dizemos: "Sim, os filhos precisam de oportunidades adequadas à idade deles para tomarem decisões sozinhos. Agindo assim, aprenderão que toda decisão tem consequências. E estarão mais preparados para a vida adulta".

Mas, como pais, sabemos que não é fácil encontrar o equilíbrio ideal entre controlar e liberar, assim como nem sempre é fácil achar a temperatura "perfeita" no termostato. Às vezes exercemos mais ou menos controle do que deveríamos. Acabamos fazendo pelos filhos o que eles deveriam fazer sozinhos, ou então lhes damos mais responsabilidade do que são capazes de administrar em seu estágio de vida.

Encontrar o equilíbrio entre muito ou pouco controle demanda bastante energia. Amarramos os sapatos de nosso filho ou damos tempo para ele amarrar sozinho? Limitamos o tempo de televisão ou confiamos que ele saberá a hora de desligar? E se estivermos atrasados para a escola ou a igreja e o filho ainda estiver apanhando dos cadarços? Devemos intervir? E se dermos liberdade para a filha gerenciar seu tempo no celular e a encontrarmos enviando mensagens quando deveria estar fazendo a tarefa escolar?

Talvez você diga: "É só pegar os chinelos ou as sandálias para a criança". Ou "Sem discussão: trinta minutos de internet por dia é suficiente". Sim, os pais têm de decidir sozinhos como vão lidar com os desafios diários da educação dos filhos. Mas, na minha experiência, uma decisão educacional nem sempre é tão fácil ou objetiva. Seu filho diz: "Não quero amarrar os sapatos, e os outros calçados não param no meu pé quando vamos brincar no parquinho". Sua filha reclama: "Os pais das minhas amigas deixam que elas tenham uma conta no Facebook. Por que eu não posso ter?".

Decisões sobre sapatos e aplicativos estão entre as mais fáceis que tomaremos como pais. A questão de mais ou menos controle se torna bem mais complicada quando começamos a falar sobre horários de voltar para casa, gestão financeira e relações sexuais.

Para ter eficiência energética em relação ao controle, você precisará da confiança como ferramenta de aprimoramento familiar, isto é, a confiança nas capacidades que seu filho está desenvolvendo e a confiança de que, juntos, vocês podem alcançar o equilíbrio. O uso eficaz da confiança como ferramenta diminuirá os problemas relacionados ao controle, o que significará uma economia de energia para você e sua família!

A FERRAMENTA DA CONFIANÇA

É uma sensação boa saber que as pessoas confiam em você! É a mesma sensação que seus filhos sentem quando você lhes concede oportunidades de iniciativa e tomada de decisões condizentes com a idade deles. Quando fazemos por eles o que eles podem fazer sozinhos, não só gastamos mais energia do que precisamos como também transmitimos a mensagem: "Você é fraco". Ao confiar em seus filhos, você envia a mensagem oposta: "Eu acredito em você. Acredito que consegue fazer isso!".

O dr. Erik Erikson, especialista em psicologia do desenvolvimento, fala sobre a importância de as crianças terem oportunidades apropriadas de desenvolvimento a fim de aumentarem suas habilidades. Em seu modelo de oito estágios psicossociais de desenvolvimento, os primeiros quatro estágios estão relacionados com a confiança.[1] O estágio 1, na verdade, é o momento em que as crianças desenvolvem confiança ou desconfiança em relação à confiabilidade dos pais. No estágio 2, que ocorre entre dezoito meses e três anos de idade, as crianças ou se sentem confiantes o suficiente para exercitar a autonomia ou têm dúvidas a respeito de si mesmas. No estágio 3, as crianças entre três e cinco anos ou sentem que são livres para ter iniciativa ou começam a se sentir culpadas caso tenham muita iniciativa. E no estágio 4, as crianças entre cinco e doze anos ou se sentem competentes para atingir seus objetivos ou se sentem inferiores e incapazes de alcançá-los.

Os pais desempenham papel crucial ao ajudar os filhos a desenvolver com sucesso a confiança, a autonomia, a iniciativa e a competência durante esses estágios fundamentais da vida. Nós temos êxito em nosso papel como pais quando acreditamos o suficiente nas capacidades deles, permitindo desafios condizentes com a idade e oferecendo apoio quando eles erram e acertam. As crianças não se desenvolverão completamente se exercermos mais controle que o necessário e se impedirmos que tenham oportunidades saudáveis de decidirem por conta própria.

Outro motivo pelo qual é importante os pais transmitirem confiança a seus filhos é que, se não o fizerem, eles vão se comportar mal. Pense nisso! Se confiarmos em nossos filhos, poderemos reduzir o mau comportamento. Essa foi a teoria do psiquiatra dr. Rudolf Dreikurs,[2] e eu concordo com ele. Com base na pesquisa do psicólogo dr. Alfred Adler, Dreikurs disse que por trás do mau comportamento dos filhos está a busca por poder, atenção, vingança ou incentivo. Entender o mau comportamento dessa forma nos ajuda, como pais, a reagir a esse comportamento das crianças de um jeito bem diferente do que normalmente reagiríamos. Talvez, em vez de simplesmente exercermos todo o controle, o que eles precisam é de nossa permissão para ter um poder condizente com a idade deles. Ou talvez precisem de nosso incentivo enquanto enfrentam um desafio, em vez de enfrentarmos o desafio por eles.

Um motivo final para investir na confiança é que confiar em nossos filhos não é bom apenas para eles; é bom para nós também. Em primeiro lugar, não temos energia suficiente para controlar cada passo de nossos filhos; por isso, permitir certa liberdade nos ajuda a poupar energia. Segundo, se desejamos que eles estejam preparados para a vida adulta, precisamos estar dispostos a permitir que pratiquem o controle por conta própria desde já. E, terceiro, precisamos de ajuda! Permitir e esperar que os filhos tomem a iniciativa significa ajuda extra nas tarefas de casa. Com isso, todos ganham: as crianças ganham experiência prática de vida, e os pais ganham auxiliadores para recolher os brinquedos, limpar a mesa, dobrar as roupas, passear com o cão, cortar a grama, e assim por diante!

ELABORANDO OS PLANOS

No fim, controle tem a ver com tomada de decisões. Como pais, queremos que nossos filhos aprendam a tomar decisões sábias. Mas como vão aprender se tomamos todas as decisões por eles?

Quando são pequenos, uma das melhores abordagens é permitir que escolham entre as opções que os pais oferecem. Por exemplo: "Você quer guardar a bicicleta na garagem antes ou depois do jantar?". A criança tem uma escolha. Se falhar em cumprir o combinado e deixar a bicicleta do lado de fora, não poderá brincar com ela por um dia.

Outro exemplo está relacionado à televisão. Os pais escolhem alguns programas que consideram apropriados para a idade da criança. Então dizem: "Aqui estão três programas para você escolher, mas só pode assistir à televisão durante trinta minutos por dia. Escolha o que quer ver". Oferecer escolhas com certos limites transmite confiança e dá a criança a responsabilidade de tomar decisões. Escolher entre as opções é uma habilidade de que elas precisarão futuramente, como adultos.

Assim como a questão da eficiência energética, a educação dos filhos tem recebido bastante atenção ultimamente. Os conceitos de pais helicópteros, pais rústicos, pais carrapatos e mães leoas estão entre os mais discutidos.

Os pais helicópteros ficam rodeando os filhos, sempre a postos para resgatá-los a qualquer sinal de estresse social e emocional.[3] Os pais rústicos deixam os filhos correrem riscos seguros com o mínimo de supervisão.[4] Os pais carrapatos "grudam" nos filhos, permitindo pouca independência e filtrando protetoramente quase tudo que os filhos veem e fazem.[5] As mães leoas são rígidas e exigem dos filhos um alto desempenho.[6]

Essas abordagens parentais não são necessariamente "ruins" ou "erradas". Na verdade, em geral os pais helicópteros, os pais rústicos, os pais carrapatos e as mães leoas são pais amorosos e dedicados que querem o melhor para seus filhos. Ainda assim, cada abordagem tem seus pontos fracos.

Para todos os pais a pergunta é: quanto vocês confiam que seus filhos estão aptos e prontos para assumir responsabilidades? Quanto mais aptos e prontos, mais controle você poderá transferir para eles.

Você e seus filhos precisarão de muita prática para conseguir utilizar a confiança como ferramenta de melhoria no lar. Essa tão necessária reforma não acontecerá da noite para o dia.

FAÇA VOCÊ MESMO

Antes de esperar que sua família mude, quais mudanças relacionadas ao controle *você* precisa fazer? Sua tendência é exercer controle demais, controle de menos, ou você já encontrou o equilíbrio (eficiência energética)?

O filósofo dr. Dallas Willard disse: "Quando tiver descansado o suficiente para se convencer de que o mundo funciona sem você, terá encontrado o verdadeiro descanso".[7] Essa é uma verdade que visa produzir humildade naquelas pessoas que tendem a controlar em excesso. Uma mãe talvez diga: "Mas meu filho precisa de mim e, honestamente, não quero que chegue o momento em que ele não precise mais". Sim, esse é um jeito amoroso, emocional e saudável de pensar em nosso papel como pais. Porém, nossos filhos definitivamente não precisam ser tão dependentes a ponto de acharmos (ou eles acharem) que não podem seguir em frente sem nós.

Os filhos precisam dos pais! Os pais são importantes como influenciadores e apoiadores de seus filhos. Somos mais capazes de potencializar nossa influência e apoio quando agimos com eficiência energética, não sendo nem muito controladores nem perdendo o controle. O ponto ideal entre os dois polos representa um equilíbrio, no qual podemos direcionar e corrigir e nossos filhos podem se empenhar e se desenvolver.

Pode ser que você não tenha a intenção de exercer pouco ou muito controle. Talvez seja o tipo de pai ou mãe flexível, que age de acordo com a situação. Meu desejo é que você reconheça em que situações está involuntariamente exercendo pouco ou muito controle, em nome da conveniência.

"Eu faço isso", admite Shannon. "Quero dar aos meus filhos oportunidades saudáveis de exercerem o controle sozinhos, mas se estamos apressados ou estressados às vezes digo-lhes o que fazer, deixando-os com pouca ou nenhuma opção. Ou, movida pela frustração, acabo cedendo totalmente e dando a eles todo o poder."

A exemplo de Shannon, você talvez também oscile às vezes. Nenhum de nós é perfeito! Mas você pode e deve continuar conduzindo sua família a uma eficiência energética começando por você — encontrando, sempre que possível, o equilíbrio entre um controle saudável e um controle nocivo.

O COMBO COMPLETO

O controle por vezes implica, necessariamente, um confronto. Brigamos uns com os outros porque não confiamos que as coisas funcionarão do nosso jeito se o outro tiver mais controle que nós. E, às vezes, nossos medos estão bem arraigados. É aí que entra a confiança.

Para que a reforma seja duradoura, a família toda precisará trabalhar na construção da confiança mútua. Os pais precisarão dar aos filhos mais oportunidades de exercer o controle por conta própria; os filhos precisarão confiar que os pais têm as melhores intenções quando permitem ou limitam algumas liberdades. É claro que falar é mais fácil que fazer, mas, quanto mais séria for a questão, mais importante será que os pais, especialmente, se atenham ao plano de mudança.

Trabalhei com uma família que tinha um filho de catorze anos e uma filha de dezenove. Os pais haviam permitido alguns privilégios e os recompensavam pelo comportamento responsável. Até que o filho começou a testar os limites fazendo coisas que não eram permitidas, como ouvir música e ver programas de televisão não autorizados. Os pais reforçaram sua preocupação com conteúdos impróprios, mas concordaram em dar ao filho um pouco mais de liberdade. Toda vez que os pais o pegavam sendo responsável, eles o elogiavam. Toda vez que o pegavam abusando da liberdade, ele perdia o direito de usar os aparelhos eletrônicos por um longo período.

Quanto à filha, quando ela vinha da faculdade para visitá-los, ficava fora até tarde sem avisar aos pais sobre seus planos. O que os pais devem fazer? Com filhos adultos o toque de recolher requer mais flexibilidade. Mesmo assim, a filha deveria ser respeitosa com os pais honrando a casa e as expectativas deles. Quando eles ameaçaram parar com o apoio financeiro, ela passou a exercer um pouco mais de controle por sua conta, mas não muito. Sua constante irresponsabilidade ao longo do ano seguinte finalmente levou os pais a exercerem controle por eles mesmos — não queriam "expulsá-la" de sua vida, mas sim ajudá-la a elaborar um orçamento e conseguir um emprego, para que pudesse alugar um apartamento por conta própria.

Entende o que quero dizer com "conflitos"? Conflitos relacionados ao controle nem sempre são fáceis. A melhor postura, como pais, é ser coerente ao transmitir a seguinte mensagem: "Podemos nem sempre concordar, mas estamos juntos nessa e vamos sempre fazer o que acreditamos ser o melhor para você". Lembre a seus filhos que todos vocês precisam estar juntos e unidos quando o assunto é lidar com o controle. Você pode oferecer oportunidades saudáveis de controle, mas seus filhos também precisam recompensar você pela confiança depositada neles exercendo esse controle de forma responsável.

SUANDO A CAMISA

Assim como nas reformas literais, a família precisa de muita reflexão, tempo e energia para aprimorar os relacionamentos e a vida no lar. Esse é o principal motivo para investirmos em eficiência energética quando a questão são os problemas relacionados ao controle. Precisamos economizar toda energia que pudermos a fim de ter energia para todas as outras coisas que precisam ser feitas!

No capítulo 7, apresentamos a confiança como ferramenta para realizar melhorias no lar. Segue agora um resumo com dicas importantes para diminuir os problemas relacionados ao controle e intensificar a confiança:

- **Desista.** Você não pode controlar tudo e todos. Isso é impossível! Desistir desse objetivo irrealista será mais libertador do que você imagina. Você gastará menos energia e seus entes queridos poderão direcionar a energia deles para lidar com os próprios desafios. É bom para você e para eles!

- **Ceda.** Às vezes, não queremos dar o controle para outras pessoas porque não queremos nos submeter ao modo delas de pensar e fazer as coisas. Acredite: a não ser que seja uma questão de vida ou morte, é bom ceder aos anseios saudáveis e à necessidade de controle de outros. Você talvez se surpreenda ao ver do que eles são capazes!

- **Mexa-se!** Agora é a hora de preparar seus filhos para a vida adulta. Gostamos de pensar que temos muito tempo antes que eles deixem o ninho, mas não é bem assim. Amarrar os sapatos, lavar a louça, arrumar a cama, passar o aspirador de pó, levar o lixo para fora, fazer projetos escolares sozinhos, trabalhar algumas horas por semana, gerenciar uma conta bancária... esses são ritos de passagens importantes. Às vezes os filhos podem relutar, não querendo lidar com o controle que você está passando para eles, mas isso lhes fará bem. Eles estarão mais bem preparados para voar quando chegar a hora de deixar o ninho.

- **Prepare-se.** Os problemas relacionados ao controle às vezes envolvem conflitos para decidir quem assumirá o controle: você ou seus filhos. Mesmo que pareça se tratar de uma batalha, não podemos nem devemos ver esses problemas dessa forma. Ao contrário, é melhor para nós e nossos filhos quando encaramos esses problemas como dores de crescimento esperadas e saudáveis. Os pais crescem quando dão aos filhos oportunidades de controle saudáveis e condizentes com a idade deles; os filhos crescem quando assumem mais responsabilidade. Nesse modo de pensar, os problemas relacionados ao controle são mais propositais que dolorosos. Compartilhe essa perspectiva com seus filhos para que entendam seu raciocínio quando aborda questões de controle.

- **Confiança é indispensável.** Sim, como pessoas, precisamos conquistar a confiança dos outros, mas, como pais, temos de dar aos filhos oportunidades de conquistar essa confiança. E também temos de aceitar que os erros e as falhas são normais e fazem parte do aprendizado e do crescimento deles. Podemos orientar e corrigir nossos filhos; essa é uma parte importante da educação e da criação. Mas não devemos nos ater a seus erros e falhas. Pelo contrário, precisamos dar a eles mais chances de exercer controle por conta própria, isto é, de tomar a iniciativa, fazer escolhas, corrigir erros e descobrir soluções para os desafios que enfrentam.

- **Confie em seu cônjuge.** Neste capítulo, propositalmente não enfatizamos o controle e a confiança entre casais. Os cônjuges não podem e não devem tentar controlar um ao outro. Se você e seu cônjuge estão tentando gerenciar ou dominar um ao outro, é hora de terem uma conversa séria. Se não conseguirem solucionar a questão, peçam a ajuda de um conselheiro ou pastor. Cônjuges controladores destroem o próprio casamento. Num casamento saudável, um cônjuge deve ver o outro como uma pessoa capaz, com o direito e a liberdade de pensar e sentir o que quiser sem que seja desvalorizado ou controlado. Se um de vocês ou ambos estão com a confiança corrompida, envidem esforços para restaurar essa confiança. Restauramos a confiança quando demonstramos que somos confiáveis. Isso pode levar tempo, mas é algo indispensável para a saúde conjugal.

 ## A GRANDE SURPRESA

As carteiras de habilitação, os diplomas, o primeiro salário e a primeira casa representam todos momentos de "grande surpresa". Demonstram que os pais tiveram êxito em ceder o controle e os filhos tiveram êxito em assumir esse controle, e agora estão prontos para passar da infância para a vida adulta.

No entanto, você não precisa esperar que haja uma surpresa colossal para se alegrar com a chance de dar aos filhos oportunidades saudáveis e apropriadas de exercer controle sozinhos. Provavelmente você dispõe de diversas oportunidades diárias de confiar em seus filhos para tomarem decisões, terem iniciativas e, de forma geral, se responsabilizarem por suas escolhas. Por exemplo, dependendo da idade, eles podem juntar as próprias roupas, lembrar de pegar a mochila, ajudar a lavar a louça, terminar uma amizade tóxica por escolha própria e abastecer o carro sem precisar que alguém peça.

Busque e celebre esses pequenos momentos de "grande surpresa". No fim das contas, serão esses pequenos momentos aparentemente insignificantes e que às vezes passam quase despercebidos que farão você confiar cada vez mais na capacidade que seus filhos têm de lidar com as responsabilidades e de confiar em si mesmos ao enfrentar os desafios da vida. Isso é eficiência energética: você e seus filhos continuamente encontrando e aceitando um equilíbrio de energia razoável e eficaz!

FALE TUDO

1. Quando se trata de dar aos filhos oportunidades saudáveis e apropriadas de exercer controle por conta própria, o que é difícil para você? O que é fácil?

2. Em que situação você deixou seus filhos assumirem o controle cedo demais?

3. Quais foram algumas das maiores batalhas que você e seus filhos enfrentaram relacionadas ao controle?

4. Quais recompensas e consequências você estabeleceu para as ocasiões em que seus filhos agem ou deixam de agir com responsabilidade?

META DE MELHORIA NO LAR:
Diminuir o constrangimento e a culpa.

FERRAMENTA DE MELHORIA NO LAR:
Desenvolver a compaixão.

<h1 style="text-align:center">• 8 •</h1>

DESENVOLVA A COMPAIXÃO

A lâmpada da compaixão é uma lâmpada que as famílias podem deixar acesa o tempo todo!

#paradescontrair

GARY: Pagar para alguém executar a árdua tarefa de lavar as janelas é um presente que sempre vale a pena.
#familiares compassivos não o julgam por não gostar de limpar as janelas!

SHANNON: Gosto da maioria das luzes de casa acesas; Stephen não gosta. Sei que ele me ama de verdade porque deixa as luzes acesas para mim.
#a compaixão diz que a luz sai mais barata que a terapia!

"É só um brinquedo idiota. Não seja infantil!"

"Você não consegue fazer nada direito?"

"Continue nesse ritmo e jamais entrará para o time."

"Seja homem!"

"Talvez, se você tivesse se esforçado mais, teria sido promovido."

"Você está muito desleixado."

"Por que todo esse choro?"

"É tudo culpa sua."

Consegue perceber o constrangimento e a culpa nesses comentários? Gostaríamos de pensar que as famílias não dizem essas coisas, mas dizem. Às vezes, é nossa intenção ser ofensivos. Ou seja, conscientemente ou não, acreditamos que tais palavras vão, de alguma forma, fazer nossos entes queridos pararem, se recomporem, ou simplesmente "cancelarem" qualquer pensamento, sentimento ou mau comportamento com o qual não concordamos ou não conseguimos lidar naquele momento. Em outras ocasiões, não estamos sendo ofensivos, mas apenas desatenciosos com a frustração que nossos familiares estão sentindo.

E se os casais e as famílias passassem a ver com mais seriedade a dor do outro através de uma lâmpada compassiva? E se incentivássemos o outro em vez de colocá-lo para baixo?

"Sei que esse brinquedo é importante para você. Talvez consigamos consertá-lo."

"Vamos continuar trabalhando nisso. Vou ajudá-lo."

"O que você ainda precisa fazer para entrar no time?"

"Não tem problema sentir medo."

"Sinto muito que não tenha sido promovido. Você se esforçou tanto."

"Você sempre será lindo para mim! Amo você por dentro e por fora."

"Dá para ver o quanto isso chateou você."

"A culpa não é toda sua. Eu poderia ter feito mais para ajudar."

A NOVA LÂMPADA DA COMPAIXÃO

Nossas reações mudam quando olhamos nossos entes queridos e pensamos neles sob a ótica da compaixão. Em vez de partir para a crítica, nós nos solidarizamos de forma gentil e paciente. E, além de nos solidarizarmos, podemos ter empatia com o cônjuge e os filhos sempre que percebemos que suas dificuldades são semelhantes às nossas. Afinal, sabemos como é se magoar: ter um objeto valioso destruído, estragar tudo, sentir a pressão de uma competição, ser tomado pelo medo, perder uma oportunidade de promoção ou aumento, esforçar-se com uma mudança pessoal necessária, sentir-se triste ou responsável por um fracasso.

Identificar-se dessa forma com nossos familiares pode e deve nos levar a reagir com mais compaixão. Por exemplo, em vez de reagir dizendo "Qual é o seu problema?", nossas reações passam a ser "Eu entendo". Essa mentalidade mais compassiva nos ajuda a ver as dores de nossos entes queridos com uma nova perspectiva, que é uma ferramenta fundamental de melhoria no lar.

Uma iluminação nova também é parte importante da reforma literal de uma casa. Às vezes, a iluminação se renova simplesmente com a limpeza das janelas que já estão lá. Em outras ocasiões, abrimos janelas onde antes não havia. Por quê? Porque as janelas deixam entrar a bela e prática luz do sol e da lua.

Além das luzes naturais, nossa casa muda para melhor com a instalação de novas luminárias. Essa é uma melhoria em geral simples e acessível que os decoradores utilizam para modernizar e valorizar uma casa. E, mais importante, com uma iluminação mais ampla e aprimorada nós, como casais e famílias, literalmente podemos ver melhor uns aos outros e cumprir nossas atividades diárias de forma mais eficaz.

A compaixão funciona como uma luz. Com mais compaixão, vemos as dificuldades uns dos outros de modo diferente.

Em vez de ver as dores de cada um de forma "opaca", por causa de uma iluminação fraca, vemos uns aos outros de forma mais honesta. Reconhecemos as dores que nossos entes queridos sentem e, em vez de reagir com grosseira e só causar mais dor, podemos agora escolher reagir calmamente, com solidariedade e empatia. No fim das contas, esse é um jeito bem mais encorajador de apoiar o cônjuge e os filhos. Ser ofensivo com o outro, intencionalmente ou não, não é bom para ninguém; pelo contrário, só gera distância emocional e amargura.

Se você e sua família querem diminuir as reações ofensivas, então arranje espaço em sua caixa de ferramentas de aprimoramento familiar para a ferramenta da compaixão. Acredito que vocês verão uns aos outros de uma forma totalmente nova graças a essa ferramenta!

"EU ME IMPORTO COM O QUE VOCÊ SENTE"

Sabemos que a luz faz bem para nossa saúde física e mental. Da mesma forma, as pesquisas também mostram que a compaixão traz muitos benefícios. Os pesquisadores da Faculdade de Medicina da Universidade Stanford comprovaram cientificamente que entre os benefícios da compaixão estão o prazer, a diminuição dos níveis de estresse e o fortalecimento de nosso sistema imunológico. Além disso, os pesquisadores descobriram que a compaixão dá sentido à vida.[1]

Você talvez pense na compaixão como algo direcionado apenas aos necessitados e oprimidos.

Você talvez pense na compaixão como algo direcionado apenas aos necessitados e oprimidos. Você dá uns trocados para o homem que vive na rua, um casaco novo para a mulher no asilo, ou presentes de Natal para uma criança de orfanato. Doar e ajudar os outros desse jeito é maravilhoso, e cada um de nós deveria fazer o máximo que puder para ajudar os menos favorecidos. Porém, estou desafiando você a ver a si mesmo e a sua família como pessoas carentes de compaixão. Talvez você tenha ou não toda a saúde e a riqueza de que precisa; independentemente disso, você, seu cônjuge e seus filhos enfrentam diariamente as lutas de serem humanos, isto é, todos vocês sentem a dor do fracasso e da perda, de uma forma ou de outra. Como família, um dos maiores presentes que vocês podem dar um ao outro é a compreensão e o apoio. Isso é compaixão! Sem ela, você está basicamente dizendo: "Boa sorte. Se vire aí!". Com ela, sua mensagem é bem diferente: "Sei que está sofrendo. Eu me importo com o que você sente. Estou aqui para o que der e vier!".

Shannon e eu ocasionalmente ajudamos casais e famílias que estão tentando ser mais compassivos uns com os outros. Um cenário comum é aquele no qual um ou ambos os cônjuges cresceram em lares onde não se demonstrava compaixão. Não tiveram exemplos saudáveis de como oferecer ou receber compaixão.

Um marido disse: "Meu pai era o tipo de cara que não deixava ninguém vê-lo chorando. Se eu demonstrasse alguma emoção, ele me xingava e me ridicularizava. Hoje, se vejo minha esposa ou filhos tendo dificuldades, eu me pego dizendo a eles que parem de chorar e se recomponham".

Uma esposa disse: "Gostaria de poder compartilhar minhas lutas com meu marido, mas acho que ele vai me entender mal. Não sei como me abrir com ele do jeito que ele quer que eu me abra".

Por outro lado, Shannon compartilha a história de certos avós que, na ausência dos pais de seus netos, criaram as crianças incentivando-as desde cedo a falar abertamente sobre suas dificuldades. "Eles eram pessoas mais velhas, mas que estavam empregando bastante energia na criação dos netos. Além de suprir as necessidades básicas, os avós tinham muita compaixão pelos sentimentos de perda das crianças e queriam que elas se sentissem à vontade para conversar com eles ou com o terapeuta a qualquer momento que precisassem."

Shannon contou-me de outra família com a qual trabalhou, uma família cujo filho tinha necessidades especiais. Ela disse: "Os pais foram honestos consigo e com o pessoal de sua comunidade a respeito de suas lutas e, ao fazer isso, ajudaram a educar e incentivar as pessoas para que enxergassem os pontos fortes do filho, e não apenas suas limitações". Foram compassivos consigo e com seu filho e permitiram que outros fossem compassivos com eles.

Como seres humanos, queremos e precisamos da compaixão daqueles que estão à nossa volta. Aquelas ocasiões em que alguém diz: "Tudo bem ter dificuldades" ou "Obrigado por se abrir comigo" costumam ser impactantes, elevando a autoestima da pessoa e renovando sua esperança. Ao longo dos anos, Shannon e eu ouvimos muita pessoas expressarem tais sentimentos: "Não me senti julgada nem constrangida", "Esse incentivo significou mais para mim do que ela imagina", "Não sei onde estaria hoje sem a confiança da minha família em mim", "O acolhimento da nossa comunidade fez toda a diferença". Esses comentários refletem o valor e o impacto da compaixão recebida.

Obviamente, demonstrar compaixão é igualmente valioso. Demonstrar compaixão é uma forma de nos sentirmos ligados ao próximo. Também é uma forma de "devolver" ou "pagar" a compaixão que nós mesmos recebemos ao longo da vida. A compaixão beneficia quem recebe e quem oferece.

ELABORANDO OS PLANOS

O melhor lugar para começar a trabalhar a iluminação de uma casa talvez sejam as janelas mais sujas e os ambientes mais escuros. E a compaixão? Por onde começamos a desenvolvê-la em nossa família?

Precisamos começar da base; portanto, vamos primeiro avaliar a compaixão existente entre você e seu cônjuge. Vocês são tão compassivos um com o outro quanto gostariam?

> Vocês são tão compassivos um com o outro quanto gostariam?

"Stephen e eu temos um relacionamento sólido, mas sei que nem sempre sou compassiva o suficiente com ele" compartilha Shannon. "Quando você está ocupada ou cansada, é difícil ser sensível às necessidades dos outros. Preciso me lembrar de ouvir, tentar entender o contexto dele e não retrucar ou dar soluções indesejadas."

Stephen não precisa de uma ouvinte distraída ou de uma compaixão forçada. Ele, a exemplo de todo cônjuge, quer e precisa sentir que Shannon está lá *por* ele, que verdadeiramente se importa com seus pensamentos e sentimentos. É assim que nós, como casais, crescemos em intimidade.

Karolyn e eu descobrimos que, mesmo depois de cinquenta anos de casamento, ainda temos de fazer um esforço mútuo para enxergar o outro através da luz da compaixão. Somos humanos, então é muito fácil focarmos nossas próprias necessidades e sermos menos generosos e solidários uns com os outros do que gostaríamos. Uma forma de manter a sintonia é praticar diariamente um "momento de compartilhar". Dividimos abertamente algo que está acontecendo em nossa vida, respeitamos os sentimentos um do outro e perguntamos o que podemos fazer para ajudar.

Arranje tempo para o outro. Fale. Ouça. Valide os sentimentos do outro. E pergunte como é possível ajudar. Essas são minhas recomendações para você e sua família. Alguns casais e pais dirão: "Parece ótimo, mas essa coisa de falar e ouvir não funciona bem com a gente. Além disso, cada um está cuidando das próprias questões".

Essa é uma grande parte do problema: os casais e as famílias estão ocupados com os próprios problemas e não separam tempo para considerar os pensamentos e sentimentos dos outros. Se você acha que não será possível reservar trinta minutos por dia, pode começar com dez e ir aumentando. Você e sua família ficarão agradavelmente surpresos ao perceber que, na verdade, têm mais a compartilhar do que imaginavam.

À medida que os casais e as famílias falam e ouvem mais, pode surgir outro desafio: "O que eu digo nos momentos difíceis? E se eu disser algo errado?". Se você está realmente tentando ser gentil e solidário com o outro, suas boas intenções vão trazer luz à questão. Além do mais, se você estragar tudo, pode colocar em prática duas ferramentas importantes de melhoria da vida familiar: a ferramenta do perdão e a ferramenta da segunda chance (conhecida como "deixe-me tentar de novo").

Voltando ao seu plano. Quais dificuldades você e sua família estão enfrentando neste momento? Estão acumulando mágoas com reações e respostas ofensivas ou estão investindo em cura com reações e respostas cheias de compaixão?

FAÇA VOCÊ MESMO

Em geral, as pessoas não limpam suas janelas, não abrem janelas novas ou não melhoram a iluminação porque não percebem quanto suas casas estão mal iluminadas, ou talvez porque não queiram os benefícios de uma iluminação melhorada. De igual modo, as pessoas nem sempre prestam atenção nos efeitos de uma ofensa na vida familiar, ou talvez vejam os efeitos mas se sintam incapazes para mudar.

Mahatma Gandhi disse: "Se pudéssemos mudar a nós mesmos, as tendências do mundo também mudariam".[2] Essa mesma sabedoria é verdadeira para nós em nosso lar. Podemos ser a mudança que desejamos ver em nossa casa. Nesse caso, nós é que devemos começar a desenvolver a compaixão.

Como ponto de partida, responda: você é compassivo consigo mesmo? Ou seja, você demonstra bondade, incentivo e perdão a si próprio? Em caso negativo, recomendo que "acenda as luzes" dentro de você. Demonstre a compaixão merecida consigo mesmo ao aceitar que é imperfeito. Permita-se cometer erros sem reagir ou responder de modo rude. Substitua o diálogo interno ofensivo por um diálogo positivo: "Não acertei dessa vez; vou continuar tentando". Valide sua dor: "Isso seria difícil para qualquer um. É difícil e vou me permitir tempo para me recuperar".

Próxima pergunta: quanto você é compassivo com os outros membros da família? Demonstra bondade, incentivo e perdão a seu cônjuge e seus filhos? Pense em como você tem respondido a eles nos últimos dias. Sua reação é calma e incentivadora? Ou áspera e ofensiva? Como pode mudar suas reações de agora em diante?

Uma autorreflexão honesta é algo importante a fazer, e isso me lembra que precisamos limpar os dois lados da janela para

137

ter uma visão clara de verdade. No caso de desenvolver compaixão, não podemos olhar só para dentro; também temos de olhar para fora.

Como Alex compartilhou comigo: "Estou tentando colocar um pouco mais de luz em mim e nos meus filhos, justamente porque estou vendo com mais frequência os meus filhos se culpando pelos erros que cometem. Depois de uma vida fazendo isso comigo, sei muito bem que culpar a si mesmo é simplesmente acrescentar mágoa sobre mágoa. Você se sente mal por algo e se coloca para baixo, e é um ciclo sem fim".

Com uma compreensão clara sobre a compaixão e um compromisso com a necessidade que sua família tem dela, você está pronto para ser um modelo de compaixão para seus familiares. Mais uma vez, isso significa demonstrar compaixão, mas também pedir a compaixão deles. Quanto mais compassivos vocês forem uns com os outros, mais dispostos estarão para se abrirem sobre suas dores. A "luz" ou a abertura de uma pessoa para a dor do outro é como um convite para a "luz" do outro, uma abertura para que ele compartilhe a própria dor. Lembre-se dos benefícios! O que está esperando? É hora de "fazer você mesmo"!

O COMBO COMPLETO

Como tantos de nós, você provavelmente já escutou seus pais dizendo coisas como: "Quem deixou as luzes acesas?" ou "Você não sabe que a luz custa dinheiro?". Agora que paga as próprias contas, talvez você mesmo diga coisas do tipo!

A boa notícia sobre a luz da compaixão é que se trata de uma luz que as famílias podem deixar acesa o tempo todo. Ser compassivo não custa nada — nada mesmo. Você talvez diga: "Mas a compaixão custa energia". E você terá razão sobre isso. Mas se vamos gastar energia com nossa família (e certamente vamos), por que não gastar essa energia com compaixão? Com certeza é uma escolha bem melhor, e com melhores resultados, do que sermos ofensivos uns com os outros.

Você continua lendo, então suponho que esteja bem envolvido com a ideia de realizar melhorias no lar com a ferramenta da compaixão. Agora, precisa de algumas ideias para que toda sua família se envolva nessa história como você.

Recomendo que convide sua família a "deixar a luz acesa". Você primeiro terá de explicar como a compaixão é igual à luz de nossa casa: a luz melhora nossa visão no âmbito físico; a compaixão melhora nossa visão no âmbito emocional. Com a compaixão aprimorada, aumentaremos a capacidade e a disposição de ver as dores emocionais do outro e reagir a elas com mais bondade e sensibilidade. Você também terá de explicar que uma família cheia de compaixão se propõe compartilhar sua dor emocional mais abertamente, porque todos confiam que os demais se importam de fato e querem animá-los quando se sentirem tristes.

> Se vamos gastar energia com nossa família, por que não gastar essa energia com compaixão?

Para tornar ainda mais interativa essa abordagem de "deixar a luz acesa" para o desenvolvimento de relacionamentos compassivos, convide seus entes queridos a dizer: "Preciso que deixem a luz acesa para mim", seja quando precisarem do apoio de um familiar, seja quando quiserem mostrar apoio a alguém. Lembre-se, a compaixão é uma via de mão dupla: às vezes precisamos pedir compaixão e às vezes precisamos pedir permissão para agirmos com compaixão, principalmente quando alguém da família estiver relutante em compartilhar conosco sua dor emocional.

Você e sua família também podem dizer: "Obrigado por deixar a luz acesa", quando perceberem outros sendo compassivos. Pode ser que eles sejam imediatamente bondosos e solidários com alguém, ou pode ser que peçam uma segunda chance após serem ofensivos com outra pessoa. De todo modo, é um esforço positivo que merece comemoração.

Quanto mais você e sua família "se flagrarem" sendo compassivos, maior a probabilidade de continuarem usando essa ferramenta de aprimoramento familiar.

SUANDO A CAMISA

A realização de melhorias no lar tem suas peculiaridades e pode ser tão cansativa quanto uma reforma literal. Quando se trata de desenvolver compaixão, você e sua família aprenderão a utilizar a luz da compaixão tanto interna quanto externamente. Você também praticará o ato de pedir compaixão quando precisar e o ato de pedir que os outros compartilhem suas dores com você, para que você possa ser compassivo com eles. Isso não acontece facilmente para a maioria de nós. Somos egocêntricos por natureza. Também estamos em desvantagem se crescemos em lares onde não tivemos bons modelos de compaixão. Então, como enfrentar esses desafios? "Suando a camisa" para alcançar a vida familiar compassiva que buscamos!

No capítulo 8, apresentamos a compaixão como ferramenta para realizar melhorias no lar. Segue agora um resumo com dicas importantes para diminuir a ofensa ao aumentar a compaixão:

- **Leve a sério!** Ser gentil e sensível nem sempre é algo automático. Primeiro, porque somos humanos e por isso temos a tendência de colocar nossas necessidades acima das necessidades dos outros. Segundo, porque às vezes estamos ocupados e cansados e podemos, intencionalmente ou não, ser desatenciosos e insensíveis com a dor emocional de nossos entes queridos. Uma vez cientes dessa tendência à negligência, podemos ser mais intencionais, mais sérios ao tratar nossa família com compaixão. Agindo assim, apoiaremos mais aqueles com os quais tanto nos importamos, em vez de acrescentar dor com nossas palavras depreciativas e nocivas.

- **Controle suas reações.** Você reage à dor emocional de seus entes queridos com palavras brandas e encorajadoras ou com comentários rudes e ofensivos? Não tem certeza? Pergunte à sua família. Ou observe a reação deles às suas atitudes. Eles parecem tristes ou consolados? Se parecem tristes, você provavelmente pode fazer mais para expressar uma preocupação genuína com os sentimentos deles. Pode começar lembrando-se de como você foi ferido no passado. Menosprezar os membros de sua família ou ignorar os sentimentos deles não ajudará na cura; só os fará sofrer mais. Você já sabe como é isso! Agora é hora de reagir com mais solidariedade e empatia a fim de incentivar e apoiar seus familiares nos momentos difíceis.

- **Haja luz!** O sol e a lua são belas e práticas fontes de luz. Assim também é com uma iluminação aprimorada em nosso lar. A compaixão é um tipo de luz que nos ajuda a entender e reagir com mais sensibilidade quando nossos entes queridos estão passando por dificuldades. Através da luz da compaixão, vemos uns aos outros de forma mais honesta do que através da luz "opaca" da ofensa. A compaixão promove cura; a grosseria resulta em distanciamento emocional e amargura entre nós e nossa família.

- **A compaixão tem seus benefícios.** Você e eu conhecemos os bons sentimentos que a compaixão gera quando ela é recebida e oferecida. Algumas pesquisas científicas também mostram que, entre outros benefícios, a compaixão dá sentido à vida. Eu acrescentaria que a compaixão traz sentido à nossa vida familiar. Por meio da sensibilidade e do apoio emocional, animamos uns aos outros, melhoramos nossa autoestima e ajudamos nossos amados a acreditarem que tudo ficará bem. Essas são habilidades fantásticas para lidarmos com os muitos desafios da vida.
- **Trinta minutos por dia.** Os casais e as famílias às vezes perdem oportunidades de apoiar uns aos outros simplesmente porque não têm tempo suficiente para interagir. Separem trinta minutos, ou dez, se trinta parecer impossível, para falar, ouvir, validar os sentimentos do outro e perguntar como podem se ajudar. Reservar esse tempo para interagir é uma forma de se manterem informados do que está acontecendo na vida de cada um e uma oportunidade de demonstrar compaixão mútua. Você precisará ajustar a quantidade de tempo e a linguagem que usará se estiver falando com filhos pequenos, mas isso não o deve impedir de ser compassivo com eles de uma forma que eles entendam.
- **Deixe a luz acesa!** As dificuldades emocionais podem surgir nas horas mais inesperadas. Incentive sua família a estar preparada para exercer compaixão a qualquer momento. Peça-lhes que "deixem a luz acesa", ou seja, a luz da compaixão. Incentive-os a sinalizar sempre que sentirem que

precisam de apoio emocional (por exemplo: tempo, conversa, validação, ajuda) e pergunte se alguém da família irá "acender a luz" da compaixão. Pode parecer um pouco esquisito no começo, mas pouco a pouco a luz da compaixão não mais se apagará. E essa é uma luz que vocês podem deixar acesa!

A GRANDE SURPRESA

Imagine os seguintes momentos de grande surpresa.

Sua filha de quatro anos tem uma crise de choro depois de perder a boneca favorita. Em momentos de pouca compaixão, você talvez teria dito: "Você tem outras bonecas. O que tem de tão especial naquela?". Mas, com a compaixão aprimorada, você escolhe dizer: "Tudo bem, não temos muito tempo para procurar, mas qual foi o último lugar em que você esteve com ela?".

Seus filhos estão brigando para decidir quem vai assistir a qual programa de televisão. Antes, a conversa poderia ter acabado em gritaria, mas agora um deles diz: "Quem não escolheu da última vez?". E, então, decidem juntos quem vai escolher o programa.

Você está estressado e cansado. Acha que ninguém da família vai perceber, mas seu cônjuge diz: "Sei que está cansado, mas eu adoraria saber o que se passa em sua cabeça". É uma grande mudança, de um passado onde cada um vivia em "modo de sobrevivência" para um presente onde cada um estende a mão em apoio ao outro. Talvez você diga: "Ah, isso nunca vai acontecer na nossa família". E você está certo, não vai acontecer se você e sua família não derem seu melhor para fazer bom uso da compaixão como ferramenta de melhoria no lar. Dê uma chance! Pense em quantos momentos de grande surpresa você e sua família podem alcançar juntos!

FALE TUDO

1. Qual é a sua definição de compaixão?

2. Em que medida você é bom em demonstrar compaixão por si mesmo?

3. Você foi compassivo com seu cônjuge e com seus filhos ultimamente? Ou reagiu de forma ofensiva? Neste caso, reconhece que magoou seu cônjuge e seus filhos com suas palavras?

4. Você é bom em pedir a compaixão dos outros quando necessita dela?

META DE MELHORIA NO LAR:
Controlar a raiva.

FERRAMENTA DE MELHORIA NO LAR:
Aperfeiçoar a paciência.

9

APERFEIÇOE A PACIÊNCIA

Uma política de portas abertas é tão convidativa
quanto a pessoa que convida para entrar.

Portas são mecanismos importantes em nossos lares. Elas nos
recepcionam e recepcionam nossos convidados, e nos prote-
gem de "convidados" que não são bem-vindos.

Dada essa importância, não é de admirar que uma porta
moderna esteja na lista de desejo de muitas pessoas quando o
assunto é reformar a casa. Uma pintura nova, fechaduras e ma-
çanetas novas, ou uma porta totalmente nova — essas são algumas opções para melhorar o visual e a funcionalidade das portas.

Também podemos aprender muito com as portas quando

se trata do problema da raiva na reforma da vida familiar. Mais especificamente, neste capítulo falaremos de como nós, como casais e famílias, seja de forma literal ou emocional, deixamos o outro pra fora ou o convidamos para dentro quando estamos com raiva. Isto é, ou repelimos o outro e lidamos com a raiva sozinhos, ou trabalhamos juntos para lidar com a raiva de uma forma favorável e produtiva.

Apesar de alertados a não fazerem isso, os filhos de Stephen e Shannon sempre trancavam a porta do quarto quando ficavam com raiva uns dos outros. Certa vez, a coisa saiu de um jeito inesperado. Carson e Presley contaram para os pais que Avery tinha trancado a porta e estava preso no quarto. E ele realmente estava!

"Algo na maçaneta quebrou, de um jeito que Avery não conseguia destravar a porta por dentro e nós não conseguíamos destravá-la por fora", contou Shannon. "Stephen tentou arrombar a porta, mas não conseguiu. Por fim, ele teve a grande ideia de passar por debaixo da porta uma chave de fenda para Avery, que conseguiu desparafusar a maçaneta. Sem a maçaneta, eles conseguiram abrir a porta."

O problema com a porta dos Wardens ilustra bem os problemas que muitos casais e famílias enfrentam com a raiva. A ira nos domina e precisamos de um pouco de espaço emocional, o que é bom. Entretanto, acabamos excluindo uns aos outros emocionalmente, quando na verdade é exatamente da ajuda de nossa família que precisamos para vencer a raiva.

Avery precisou de Presley para dizer a Shannon e Stephen que ele estava preso no quarto. Eles acharam que Avery queria privacidade e estava sendo esperto ao usar a desculpa de "estar trancado", e por isso não reagiram rapidamente. Preso de verdade no quarto, Avery pediu a ajuda de Carson. Shannon investigou e confirmou que ele de fato estava preso. Ela tentou, mas não conseguiu abrir a porta, e então chamou Stephen para ajudar. Depois de várias tentativas e muita frustração, Stephen descobriu como ajudar Avery a abrir a porta pelo lado de dentro. Isso que é trabalho em equipe!

Depois desse episódio, Stephen e Shannon processaram a experiência. Perceberam que isso ilustra bem o que acontece quando excluímos os outros por estarmos com raiva. Avery ainda estava em seu quarto, sentindo-se mal pelo problema que havia causado. Então Stephen o chamou para fora e explicou: "Não precisa ficar mal, Avery. Não foi perda de tempo, no fim das contas! Todos nós precisamos encontrar um jeito melhor de lidar com a raiva. Em de vez trancar as portas, precisamos deixá-las abertas para que os outros possam nos ajudar".

> A raiva, como emoção, não é errada. O problema é que fazemos coisas ruins quando estamos com raiva.

MENOS DESTRUTIVO, MAIS PRODUTIVO

Além de precisar e permitir que nossos entes queridos nos ajudem, também aprendemos a lidar com a raiva de modo mais eficaz quando separamos tempo para examinar de onde ela vem. Na maioria das vezes, sentimos raiva porque achamos que alguém nos tratou injustamente ou foi rude conosco. É quase sempre esse o caso quando nos iramos com alguém da família. A raiva, como emoção, não é errada. O problema é que fazemos coisas ruins quando estamos com raiva.

A questão, então, não é a raiva, mas como reagimos a ela. Se não tivermos paciência, causaremos danos sérios em nossos relacionamentos por estarmos furiosos. Na verdade, assim como uma equipe de demolição destrói uma casa, nossas palavras furiosas podem demolir depressa e completamente o amor e a confiança que sentimos uns pelos outros. Em casos mais severos, uma raiva destrutiva e acumulada pode levar ao divórcio e gerar tensões na educação dos filhos.

Existem dois tipos de raiva: a definitiva e a distorcida. A raiva definitiva é aquela que sentimos quando vemos uma injustiça, ou seja, quando alguém destrata outra pessoa. Esse tipo de raiva é um dom de Deus para nos motivar a corrigir um comportamento errado. Isso exige confrontar em amor a pessoa que agiu errado, esperando um pedido de desculpas para o qual reagiremos com perdão. A raiva distorcida é a que sentimos quando não conseguimos as coisas do nosso jeito. O que a pessoa disse ou fez não foi moralmente errado; só não foi o que queríamos que ela dissesse ou fizesse. Boa parte de nossa raiva familiar se enquadra nessa categoria. O marido se irrita porque a esposa se esqueceu de colocar suas camisas para lavar. Esquecer não é pecado. Esquecer é humano. Três semanas depois, a esposa lhe envia uma mensagem de texto pedindo que compre leite. Ele concorda. Quando chega em casa, a esposa se irrita porque ele se esqueceu do leite. Em ambos os casos, a raiva é distorcida. A resposta não é atacar o outro com palavras de condenação, mas procurar uma forma de trazer o leite para casa e levar as camisas para a máquina. Depois disso, podemos discutir o que fazer para aprimorar a memória.

Seja distorcida ou definitiva, precisamos aprender a controlar nossa raiva em vez de deixar que ela nos controle. Nossa reação precisa ser produtiva, em vez de destrutiva. Onde se encontra sua família entre os polos destrutivo e produtivo? Vocês são mais destrutivos ou mais produtivos ao lidar com a raiva?

Todas as famílias que conheço podem melhorar a forma

de lidar com a raiva tendo mais paciência uns com os outros. Essa é uma ferramenta para a melhoria no lar que nos ajuda em termos emocionais e relacionais. Com paciência, é mais possível que deixemos a porta aberta para uma comunicação significativa, em vez de bater a porta e ir embora furioso.

UMA PORTA COM UMA PLACA DE "BEM-VINDO"

Se alguém está batendo à nossa porta de um jeito insistente ou assustador, é claro que não estaremos tão propensos a deixar essa pessoa entrar quanto estaríamos se ela estivesse batendo com calma e esperando ser atendida. Se alguém exige que abramos, nossa inclinação é para literalmente fechar a porta na cara dessa pessoa.

De igual modo, poucas pessoas vão bater à nossa porta, ou tentar se aproximar emocionalmente, se perceberem que estamos sendo hostis. "Eles nunca entrarão aqui, e é isso mesmo que eu quero!"

A melhor chance de abrirmos as portas literais e emocionais entre nós quando um ou ambos estão com raiva é os dois lados serem pacientes: "Sei que você está com raiva. Estou disposto a ouvir se você me deixar entrar", "Estou com raiva, mas, por favor, entre. Gostaria de conseguir conversar com você sobre o que estou pensando e sentindo". É disso que precisamos em nossos relacionamentos mais importantes: a segurança de que, aconteça o que acontecer, não abandonaremos uns aos outros. Não estamos juntos só "para o melhor", estamos juntos também "para o pior".

Poderíamos dizer que a paciência é como uma porta com uma placa de "bem-vindo" pendurada, enquanto a raiva é como uma porta com uma placa de "perigo" pendurada.

A placa de boas-vindas transmite a mensagem de que você "pode entrar"; a placa de perigo transmite a mensagem de que não convidados devem agir com precaução. Cada um tem de decidir qual placa quer pendurar na porta. Se queremos relacionamentos saudáveis, escolhendo ser mais pacientes, a placa de "bem-vindo" é a melhor opção.

Karolyn e eu temos praticado muito ao longo dos anos a substituição das placas de perigo por placas de boas-vindas. Somos pessoas pacíficas a maior parte do tempo, mas somos humanos, e humanos se iram. Em momentos de impaciência, acabamos deixando o outro com raiva. Em momentos de paciência, contudo, aproximamo-nos para oferecer apoio. Não levou muito tempo para percebermos que a paciência era bem melhor que a impaciência. A paciência nos une; a impaciência só contribui para que a raiva nos afaste.

Também já aconselhei vários casais e famílias que trabalharam para diminuir a raiva ao aumentar a paciência mútua. Muitos têm aprendido a passar pela raiva juntos, de forma produtiva, em vez de repelir uns aos outros furiosamente. Mas nem sempre é fácil, e infelizmente nem todos os casais e famílias com os quais trabalhei estavam dispostos a se tornarem mais pacientes. Em alguns casos, "o cabeça quente" deixava a raiva controlar seu comportamento em vez de atenuá-la com a paciência. Em outros casos, os familiares não exercitavam a paciência com a pessoa que estava irada. Sem paciência, esses casais e famílias acabaram aumentando seus problemas.

ELABORANDO OS PLANOS

Quando o assunto é a raiva, você e sua família têm uma política de portas abertas ou de portas fechadas? Ou seja, você e seus amados permitem que cada um expresse a raiva de forma apropriada e ouvem e incentivam uns aos outros ao enfrentar a raiva? Ou reagem negativamente à raiva e excluem uns aos outros emocionalmente, em vez de trabalharem juntos para, de modo produtivo, enfrentar esse sentimento?

Devo confessar que, quando me casei, não tinha um plano para lidar com a raiva. Estando "apaixonados", não imaginava que um dia ficaríamos zangados um com o outro. Pensei que ela fosse perfeita e que sempre faria o que eu queria. Ela pensava o mesmo de mim. Quando a euforia emocional da paixão passou, descobrimos nossa humanidade. Levou um tempo, mas no final aprendemos como utilizar a paciência como ferramenta e processar a raiva de um jeito positivo. Nesta sessão, quero compartilhar algumas ideias simples que talvez o ajudarão a desenvolver a paciência quando você estiver com raiva ou quando estiver reagindo a um cônjuge ou filho irados.

> Quando a euforia emocional da paixão passou, descobrimos nossa humanidade.

1) Dê a cada membro da família a liberdade de sentir raiva. Faz parte de nossa humanidade e é uma característica que não pode ser eliminada. Então, ajude sua família a entender que é normal sentir raiva.

2) Ensine sobre os dois tipos de raiva: a definitiva é quando alguém faz algo errado com outra pessoa da família; a distorcida é simplesmente quando as coisas não saem do nosso jeito.

3) Não perca a cabeça! Ou seja, não utilize palavras grosseiras nem aja de uma forma que magoará o outro. Esse tipo de comportamento nunca é útil. Há um antigo provérbio

hebraico que diz: "O tolo mostra toda a sua ira, mas o sábio a controla em silêncio".[1]

4) Para que o item 3 seja possível, ensine sua família a "pedir um tempo" quando estiver com raiva. Imagine seu filho ou filha dizendo: "Estou zangado, preciso de um tempo". Isso significa: "Preciso esfriar a cabeça, para poder conversar com calma sobre o assunto". Todos devem respeitar o direito do outro de pedir um tempo.

5) Quando estiver usufruindo desse tempo, pergunte-se: "Esta raiva é definitiva ou distorcida? Alguém foi injusto comigo ou só não consegui o que queria?". Se achar que a raiva é definitiva, então precisa estar pronto para falar sobre isso quando acabar seu tempo: "Estou com raiva porque acho que você foi injusto comigo. Posso me explicar?". Se achar que a raiva é distorcida, você precisa estar pronto para dizer: "Percebi que fiquei com raiva porque as coisas não saíram do meu jeito. Posso me explicar?".

6) Esteja sempre pronto a ouvir um familiar que está com raiva. Ele demonstrou paciência ao pedir um tempo. Então, precisamos demonstrar paciência ao ouvi-lo com atenção enquanto compartilha o motivo da raiva. Não o interrompa. Deixe-o falar tudo o que está pensando e sentindo.

7) Expresse compreensão. Você pode dizer: "Entendo o que está dizendo e porque está com raiva. Se eu fosse você, com certeza ficaria assim também". (E ficaria mesmo!)

8) Peça permissão para apresentar sua perspectiva: "Agora que sei por que você está com raiva, posso compartilhar meu ponto de vista?". Você se ofereceu para explicar o que quis dizer e seus motivos, ou porque fez aquilo que incitou a raiva do outro. Depois pergunte: "Você entendeu o que quis dizer? Não era minha intenção magoá-lo. Amo muito você". Se você

sabe que o que fez ou disse foi ruim ou injusto, desculpe-se e peça que a pessoa o perdoe. Você também pode perguntar: "O que posso fazer para corrigir isso?".

O objetivo é sempre encontrar uma solução para que o relacionamento possa seguir em frente. Os passos acima têm ajudado muitas famílias a aprender a processar a raiva de um jeito positivo. Como pais, devemos nos responsabilizar não apenas por aprender a lidar com nossa própria raiva de um jeito positivo, mas também por ensinar os filhos a fazer o mesmo. Poucas habilidades sociais são tão importantes quanto aprender a ter paciência diante da raiva. A raiva mal administrada destrói casamentos, magoa filhos e rompe amizades.

"É o que temos de fazer, começar de algum lugar. Nara cresceu em uma família que lidava com a raiva de determinada forma. Eu cresci numa família que nem sequer lidava com a raiva", compartilhou Antoine. "Tivemos de encontrar um meio-termo e entender que a raiva, quando manejada de forma correta, pode na verdade ser produtiva. Agora temos adolescentes e junto com eles nós continuamos a exercitar nosso controle da raiva. Acho que posso dizer que ainda estamos em obras!"

Quero incentivá-lo a implementar uma política de portas abertas, tanto literal quanto emocional, entre você e seus entes queridos. Busque e aproveite as oportunidades de mostrarem paciência uns aos outros. Trabalhem juntos para lidar com a raiva. Aceitem que a raiva é uma emoção normal, saudável e potencialmente produtiva. E permita que você e seus entes queridos tenham o espaço emocional ou a liberdade de que precisam para expressar a raiva de forma apropriada. Você talvez tenha outras ideias que deseja incorporar ao seu plano de reforma familiar, mas somando as suas e as minhas você já tem o bastante para, no mínimo, dar o pontapé inicial!

FAÇA VOCÊ MESMO

Uma política de portas abertas é tão convidativa quanto a pessoa que nos convida para entrar. Então, quanto você é convidativo? Com paciência, você convida seus entes queridos a entrarem em seu espaço emocional para, juntos, superarem a raiva? Ou sua tendência é fechar a porta para lidar com a raiva sozinho?

Pense também se você se oferece para apoiá-los quando eles estão com raiva, se ignora completamente a necessidade que eles têm de apoio ou se invade o espaço emocional deles com sua própria raiva. Eu sei, é muita coisa para pensar, mas essas perguntas ajudarão a aumentar sua autoconsciência. E uma autoconsciência saudável, combinada com o compromisso de mudar e um esforço consistente, ajuda-nos a reagir com êxito no enfrentamento da raiva com paciência.

É claro, toda porta tem dois lados! Alguns de vocês estão empenhados em sua parte da reforma quando se trata da raiva e da paciência. Mas alguns de vocês estão esperando ansiosamente que seus familiares lidem com a raiva *deles* de um jeito mais eficiente. Seria ótimo se eles pendurassem uma placa de bem-vindo na porta deles e se tornassem alguém com quem fosse possível trabalhar a raiva. Mas você não está tão certo de que isso vai acontecer.

Embora possa ser desanimador esperar outra pessoa se esforçar para mudar, você não precisa esperar por eles para mudar a si mesmo. Pode escolher encarar e expressar a raiva de uma forma diferente. E pode substituir sua placa de "perigo" por uma placa de "bem-vindo", visando incentivar o restante da família a trabalharem juntos para enfrentar a raiva.

Quer seus entes queridos intensifiquem ou não os esforços

deles, não pare com o seu esforço. Você não pode controlá-los; só pode controlar a si mesmo.

O COMBO COMPLETO

Algumas pessoas acreditam que a raiva simplesmente desaparecerá se não falarem sobre ela. Então, fecham a porta e se trancam junto com a raiva. Isso nunca é saudável. Devemos tentar processar a raiva o mais rápido possível. Se guardarmos a raiva e nos recusarmos a falar a respeito dela com quem nos causou a ira, ela se transformará em amargura e depois em ódio. O ódio nos faz desejar o mal da pessoa de quem sentimos raiva.

No fim, a raiva guardada destruirá a família. É verdade que um dos motivos pelos quais muitos mantêm a "porta fechada" ao lidar com a raiva é já terem sido magoados no passado, quando tentaram compartilhar seus sentimentos de raiva com o restante da família. Às vezes, isso pode ser detectado até na infância, onde não havia permissão para expressar raiva. Se isso se aplica à sua infância, espero que este capítulo o ajude a entender que há um caminho melhor. Somos influenciados por nossa infância, mas esses padrões nocivos de como lidar com a raiva não precisam nos controlar para sempre.

Obviamente, o lugar ideal para começar a criar uma política de portas abertas no manejo da raiva é o casamento. Espero que você e seu cônjuge estejam lendo este livro juntos. Se for o caso, então este capítulo pode ser o início de um caminho totalmente novo no enfrentamento da raiva. E, juntos, vocês podem ensinar a seus filhos um jeito mais saudável de entender e processar esse sentimento. Entretanto, se você é uma mãe ou um pai solteiro e lida com uma raiva não resolvida do passado, espero que este capítulo lhe dê uma nova perspectiva sobre o assunto. Colocar em prática esses princípios ao lado de seus filhos será uma das coisas mais importantes que você fará para o sucesso deles na vida.

Outro modo criativo de incluir todos os familiares no projeto de aprimoramento da paciência é estabelecer uma política de portas abertas tanto com as portas emocionais quanto com as literais. Você pode precisar de um tempo a sós dentro de algum cômodo, mas não precisa bater as portas com violência ou trancá-las para repelir os outros. O mesmo vale para as portas emocionais. Você não precisa excluir emocionalmente o outro e não precisa tentar impacientemente acabar com a raiva dele.

Finalmente, sua família pode se divertir conversando sobre as placas de "bem-vindo" e "perigo". Agradeçam uns aos outros por lidarem com a raiva de maneiras acolhedoras e por demonstrarem apoio nos momentos de ira. Deem uns aos outros a permissão para dizer: "Estou com raiva; podemos conversar?". Esse tipo de esforço e apoio mútuo não só ajuda os casais e as famílias a aprimorarem a paciência, mas também nos ajuda a ficarmos mais próximos.

SUANDO A CAMISA

Não precisamos envidar esforços para sentirmos raiva; ela surge naturalmente. A paciência, em contrapartida, não vem tão facilmente; exige trabalho árduo. A recompensa por isso será menos portas fechadas e mais convites para que o outro ofereça apoio emocional em momentos de ira. Precisamos nos focar na recompensa quando lidamos juntos com a raiva, a fim de nos tornarmos uma família mais paciente e apoiadora.

No capítulo 9, apresentamos a paciência como ferramenta para realizar melhorias no lar. Segue agora um resumo com dicas importantes para diminuir a raiva e aumentar a paciência:

- **Não tranque o outro para fora.** Nem sempre sabemos como nos livrar da raiva; ela tem um jeito de nos fazer sentir presos. Se nos fecharmos emocionalmente para nossos entes queridos, não será fácil eles conseguirem nos ajudar a sair. Mas, se os convidarmos a participar de nossa raiva, ou se compartilhamos com eles o motivo dela, então eles podem ouvir, validar nossos sentimentos, incentivar-nos e ajudar-nos a obter uma nova perspectiva. Também podem nos ajudar a encontrar soluções para aquilo que está contribuindo com nossa raiva.
- **A raiva acontece!** A raiva é uma emoção natural, normal e saudável. Não precisamos negar sua existência. Pelo contrário, precisamos encontrar formas saudáveis de expressá-la. Por isso é necessário dar ao outro espaço emocional para processar seus pensamentos e sentimentos de raiva.
- **Seja produtivo, não destrutivo.** Precisar de um espaço emocional e oferecer esse espaço, no entanto, não é desculpa para ser ofensivo ou para evitar processar a raiva. Lidar com esse sentimento pode ser desafiador, mas lidar com ele abertamente e em equipe aumenta nossas chances de alcançar resultados produtivos.
- **Raiva definitiva ou distorcida?** Lembre-se, raiva definitiva significa que alguém foi injusto ou rude com você. A raiva distorcida significa que você simplesmente não conseguiu que algo acontecesse do seu jeito. Ninguém fez nada imoral; mas o que foi dito ou feito não era o que você esperava. Enquanto estiver desfrutando de seu tempo, pergunte-se:

"A minha raiva é definitiva ou distorcida?". Se for definitiva, então aborde a pessoa dizendo: "Estou com raiva; podemos conversar?". Se for distorcida, então diga: "Estou com raiva e me dei conta de que você não fez nada errado, mas gostaria de conversar sobre o motivo da minha raiva". Em ambos os casos, não estaremos nutrindo a raiva, e sim compartilhando-a com as pessoas com quem estamos zangados.

- **Bem-vindo ou perigo?** A paciência é como uma porta com uma placa de "bem-vindo" pendurada; a raiva é como uma porta com uma placa de "perigo" pendurada. Quando sentimos raiva, podemos encontrar formas positivas e pacientes de interagir e apoiar uns aos outros. A paciência nos aproxima; ela nos incentiva a trabalhar em equipe, em vez de nos fecharmos emocionalmente. Juntos, podemos processar nossa raiva de forma mais eficiente, não permitindo que ela nos afaste uns dos outros.

 **A GRANDE SURPRESA**

É comum pessoas que trabalham com reformas de casas nos mostrarem fotos "do antes e do depois". Isso nos ajuda a lembrar de como nossa casa era e apreciar ainda mais a incrível transformação que ocorreu durante a reforma.

Pense no que vem funcionando ou não em sua forma atual de lidar com a raiva. Agora, imagine daqui a algumas semanas ou meses como sua família estará mais paciente nos momentos de raiva. Essas "fotos do depois" são os momentos de grande surpresa pelos quais você está trabalhando. Talvez para você e sua família isso signifique dizer coisas como:

"Entendi, você está com raiva. Fale comigo. Me ajude a entender."

"Preciso que você ouça e entenda o meu ponto de vista."

"Sinto muito por deixar você de fora. Se ainda estiver disposto a ouvir, gostaria de expressar como estou me sentindo."

"Obrigado por brincar comigo. Era tudo o que eu queria."

"Obrigado por me dar espaço. Era tudo de que eu precisava."

"Estou aqui a qualquer hora, se quiser conversar."

"Amo você, não importa quanto esteja zangado, e sempre estarei disposto a ouvi-lo."

A paciência também pode ser expressa por meio de abraços, carinhos, um ouvido atento e uma mão amiga em momentos de frustração. Fique de olho nesses tipos de surpresa também. E não se esqueçam de agradecer uns aos outros por toda oportunidade que tiverem de sentir menos raiva e exercer mais paciência!

FALE TUDO

1. Como você procura fazer seus entes queridos se sentirem acolhidos para falar sobre a raiva deles? Como você os desestimula a falarem sobre isso?

2. Em que momentos você e sua família sentiram raiva uns dos outros por causa de coisas que, na verdade, nem eram tão importantes?

3. Qual foi a última vez que você ou alguém de sua família foi paciente com o outro?

4. Para entender melhor a raiva e como reagir a essa emoção potencialmente destrutiva, leia meu livro *Ira! Aprenda a expressar esta emoção.*

META DE MELHORIA NO LAR:
Substituir a desorganização.

FERRAMENTA DE MELHORIA NO LAR:
Promover a organização.

10

PROMOVA A ORGANIZAÇÃO

"Guarde isso, não guarde aquilo." Desentulhar nosso lar (e nossa mente) libera um espaço que nem lembrávamos que tínhamos.

Tendo em vista o amor que temos por "coisas" em nosso país, não é nenhuma surpresa o aumento de empresas de estocagem e de brechós. Não há espaço em nossas casas para guardarmos confortavelmente tudo o que temos, então alugamos um espaço para guardar ou doamos para alguém.

Quando consultamos os proprietários acerca de arranjar mais espaço em casa, uma solução simples que reformadores e *designers* de interiores recomendam é desentulhar. Isso significa livrar-se das parafernálias desnecessárias ou organizá-las de forma mais eficaz.

O entulho não só causa um bloqueio literal no espaço em que vivemos, como também causa um bloqueio emocional, desencorajando as pessoas a seguir em frente com sua vida. Por esse motivo, os conselheiros, sendo especialistas em melhorias na vida familiar, às vezes incentivam um desentulho literal.

O desentulho literal é importante; mais que isso, porém, incentivo os casais e as famílias a lidarem com o "entulho" figurativo, a desorganização que dificulta a vida de muitos. "Nunca chegamos a lugar nenhum a tempo", "Brigamos para saber quem deve fazer tal tarefa", "É muita coisa, não damos conta" — tais comentários refletem a frustração que a desorganização pode causar.

Em geral, a desorganização acontece porque a vida é uma correria só. Podemos até organizar bem nosso tempo e energia, mas ainda é difícil manter tudo alinhado o tempo todo. Assumimos muitos compromissos, nos atrasamos, deixamos tarefas de lado para lidar com demandas inesperadas e, de vez em quando, tomamos atalhos a fim de pôr as coisas em dia. E às vezes não conseguimos!

A desorganização também acontece quando nós, como casais e pais, não exercemos a liderança de forma satisfatória. Em vez disso, pensamos: "Isso pode esperar" ou "Outra pessoa cuidará disso". A má notícia é que, pensando assim, as coisas nunca serão arrumadas, ou as pessoas nunca farão uma divisão justa das tarefas.

Para auxiliar casais e famílias que estão estressados ou sobrecarregados com a desorganização, incentivo-os a intensificar os esforços de liderança. Antes de os casais liderarem seus filhos, devem primeiro identificar a fonte da desorganização.

Por exemplo, alguns casais estão sobrecarregados porque não estabeleceram seus papéis de forma clara (quem vai cuidar das crianças, pagar as contas, limpar a casa, fazer as compras, cozinhar, cuidar da grama, do carro, do animal de estimação, etc.). Cada cônjuge traz para o relacionamento características únicas e pode usar essas características para ajudar a criar e a manter a organização em casa.

Em seus papéis como pais, um casal pode liderar sendo claro em sua comunicação (capítulo 6), mas também sendo mais organizado e coerente no modo como lidera os filhos. Por exemplo, a rotina é um excelente jeito de criar horários para as crianças. Dessa forma, elas saberão o que esperar e cooperarão mais facilmente com coisas como a hora de dormir, de comer, de tomar banho e de fazer a tarefa escolar.

A coerência na atribuição e no acompanhamento das tarefas domésticas é outro exemplo de como os pais podem não só organizar a vida familiar, mas também incentivar o desenvolvimento da liderança em seus filhos. Ao ajudar nas tarefas domésticas e em outras limpezas e reparos, as crianças aprendem a valorizar o cuidado com a casa. E também se dão conta do valor do trabalho em equipe.

Além de se empenhar na liderança e no trabalho em equipe, os pais talvez precisem reduzir algumas idas e vindas da família. Se a escala do trabalho pode ser alterada para que haja mais tempo para a família, altere a escala. Se as crianças estão com muitas atividades extracurriculares, reduza uma atividade. Se for possível conciliar as saídas para o médico com outras saídas, então faça isso. Esses são apenas alguns exemplos de possíveis ajustes que os casais podem fazer para diminuir a desorganização.

É verdade que os casais e as famílias passam por fases da vida nas quais a desorganização é praticamente inevitável. Se não der para fazer grandes mudanças em determinada fase da vida, então incentivo a família a se estressar menos, aceitar suas circunstâncias da melhor forma e ser o mais flexíveis que puderem com suas várias responsabilidades e compromissos.

Com certeza, a definição de desorganização ou organização variará bastante entre as famílias, mas em geral a maioria das famílias funciona melhor quando possui algum nível de organização ou ordem. A ordem é uma ferramenta importante que casais e famílias precisam ter em suas caixas de ferramentas para melhorias no lar.

POR QUE A ORGANIZAÇÃO?

Famílias são como empresas: para que os objetivos mútuos sejam alcançados, deve haver liderança e organização. Se você faz parte de uma família e se já trabalhou em alguma empresa, entende a importância de boa liderança e organização. Sem elas, os casais e as famílias, assim como as empresas, fracassam; com elas, há progresso.

Os terapeutas familiares acreditam na força de uma estrutura familiar funcional. Seja qual for a composição familiar, as crianças naturalmente esperam que os pais ou outros cuidadores confiáveis assumam a liderança. Os pais e os cuidadores, por sua vez, carregam a responsabilidade natural de estabelecer ordem e oferecer um modelo confiável e amoroso no qual as crianças podem confiar e se desenvolver.

É muita responsabilidade, não é? Liderar bem. Estabelecer a ordem. Ser uma família funcional.

Criar e manter a ordem pode ser estressante para os pais, seja como algo autoimposto ou imposto por outros. O estresse é sentido internamente, mas também é transferido para os demais através de reclamações e comparações entre eles próprios e também entre outras famílias: "Por que vocês não estão prontos quando digo para estarem prontos?", "Robert é sempre pontual", "Aposto que a mãe dele não se esqueceu de trazer um cartão para cada um", "A casa deles está sempre impecável".

Há um desejo legítimo por trás da reclamação e da comparação. No fim das contas, ao trabalhar na educação de seus filhos, você espera estar agindo corretamente. Você ora, lê livros como este, aprende como se faz e espera pelo melhor. Então, parece que, num piscar de olhos, seus filhos estão adultos e você se dá conta de que se saiu muito bem. Isso que é uma grande surpresa!

A melhoria no lar não é um projeto de soluções únicas. No caso da desorganização e da ordem, casais e famílias devem estar sempre se adaptando às novas necessidades e horários que vão surgindo. Esta é outra marca de uma família funcional: ela adapta apropriadamente seus papéis e regras com o passar do tempo a fim de atender, de modo eficaz, às mudanças no desenvolvimento. Então, mantenha por perto sua caixa de ferramentas de melhorias no lar! Assim como as necessidades e horários mudam, você, seu cônjuge e seus filhos terão de aumentar a organização constantemente com o intuito de diminuir a desorganização.

ELABORANDO OS PLANOS

Em quais áreas da vida familiar está faltando organização para você e seus entes queridos? Onde você precisa intensificar sua liderança a fim de criar e manter a ordem?

À medida que trabalha em sua lista de desejos de melhorias no lar, recomendo que estabeleça metas inteligentes[1] com as seguintes características: *específica, mensurável, atingível, razoável* e *delimitada*. Dizer "quero que sejamos mais organizados" não é muito específico. Mas dizer "quero que cheguemos aos locais em tempo" é *específico*. Agora, há uma meta que você e sua família podem alcançar.

Vamos trabalhar nessa meta de chegar a tempo. Ela é claramente *mensurável*, porque você de fato sabe quando sua família está ou não sendo pontual. Você pode tornar a coisa um pouco mais divertida criando um "mural de pontualidade", no qual registra os destinos e os horários de chegada para cada compromisso.

Chegar em tempo é *atingível*, ao menos na maioria das vezes. Se achar que o tempo que reservou para se arrumar e sair não é suficiente, então terá de ajustar sua rotina para ter mais tempo para se arrumar e sair com pontualidade.

Se perceber que a maioria das pessoas chega pontualmente a esses mesmos compromissos, então pode presumir que a meta de chegar em tempo é *razoável*.

Finalmente, uma meta *delimitada* significa que você e sua família dão a si mesmos um prazo para atingir a meta desejada. Utilizando nosso exemplo, vocês podem se desafiar, inicialmente, a chegar a tempo durante um dia, depois durante uma semana, e depois durante um mês, até decidirem quanto de tempo é suficiente para mostrar que são capazes de atingir a meta de forma consistente.

Shannon sugeriu o exemplo de "chegar a tempo" porque ela ainda está trabalhando nessa meta. Ela também gosta de compartilhar com as pessoas outra ferramenta útil de aconselhamento: os estágios da mudança.[2] Esse modelo consiste em cinco estágios: 1) no estágio da pré-contemplação, as pessoas não estão prontas para a mudança; 2) no estágio da contemplação, já estão ao menos cogitando a mudança; 3) no estágio da preparação, estão fazendo planos para a mudança; 4) no estágio da ação, estão implementando a mudança; e 5) no estágio da manutenção, a mudança foi estabelecida e agora precisará ser mantida.

Shannon disse: "Em geral, utilizo o modelo dos estágios da mudança no aconselhamento porque ele me ajuda e ajuda os outros a pensarem de forma mais concreta sobre efetuar mudanças realistas. Se não estivermos prontos para a mudança, só frustraremos a nós mesmos estabelecendo objetivos irreais e inalcançáveis".

Como esse modelo de metas inteligentes e esse modelo dos estágios da mudança podem ajudá-lo em seus planos de reforma da vida familiar?

FAÇA VOCÊ MESMO

Shannon é alguém que pratica o "faça você mesmo" quando o assunto é organizar. "Eu realmente sou uma mestra da organização! Adoro organizar as coisas, e sou boa nisso. Mas a vida é uma adversária incrível nessa história de manter a ordem", ela diz.

E Shannon tem razão! Por mais que você seja bom em organizar, é difícil ser organizado o tempo todo. Ela então faz algo muito saudável: é compassiva consigo mesma (capítulo 8). Essa autocompaixão ajuda Shannon a ser mais flexível quando seus planos não dão certo. Esse é o projeto que quero incentivá-lo a "fazer você mesmo": praticar a flexibilidade!

Com a flexibilidade, você ainda pode ter a organização como meta; você só não se torna tão autocrítico e também não se estressa tanto. Você segue o curso da vida e, em vez de tentar alcançar a organização perfeita, celebra a perfeita organização imperfeita que você e sua família são capazes de alcançar nessa fase da vida.

"Tem muita coisa acontecendo, e isso é bom", diz Shannon. "Sempre digo para as pessoas que sou boa e estou cansada porque, por mais que esteja cansada de seguir nossas agendas cheias, ainda sou boa — e sou mesmo."

A atitude positiva de Shannon influencia sua vida familiar. Na verdade, eu ri quando ela compartilhou comigo a pequena canção que fez. Ela sempre canta quando estão atrasados para a escola: "Temos uma chance, não acontece todo dia, mas temos uma chance, e hoje é nosso dia!".

Ao trabalhar para encontrar a organização que melhor funciona para sua família, incentivo você a ser flexível com seus planos. E lembre-se: há sempre uma chance de alcançar suas metas de aprimoramento familiar. Metas inteligentes e realismo acerca da mudança serão de grande ajuda!

O COMBO COMPLETO

Enquanto escrevíamos este livro, Shannon e sua família estavam vendendo a casa deles e construindo uma nova. Isso foi um grande teste não só para ela e suas habilidades de organização, mas também para as de Stephen e seus filhos. Fazer essa grande transição definitivamente exigiu deles um esforço em conjunto.

"Durante a preparação para colocar a casa à venda, empacotamos muita coisa que não costumávamos usar, e isso ocupou metade da garagem. Ou pelo menos achávamos que não usávamos aquelas coisas com frequência. Ao longo de vários meses de espera pela venda da casa, levamos e trouxemos as coisas da garagem inúmeras vezes. As visitas de exposição da casa geraram estresse. Além de lidar com uma agenda cheia, tínhamos de ou manter a casa limpa e organizada, ou chegar correndo para prepará-la antes de uma visita de última hora."

Talvez você se identifique com o estresse de Shannon e sua família. Eles estavam lidando com entulhos literais (todas as coisas que levaram para a garagem) e com entulhos figurativos (a desorganização extra que uma mudança de casa pode ocasionar).

"Mesmo tentando ser o mais organizada possível, sempre estávamos procurando alguma coisa perdida aqui ou ali. Até jogamos um cheque fora sem querer e perdemos o celular do Avery naquele período. Ficamos constrangidos, mas pedimos que a pessoa emitisse e enviasse novamente o cheque e, no fim, encontramos o celular de Avery afundado no sofá."

Apesar do estresse de perder e procurar as coisas, a família de Shannon manteve uma atitude colaborativa e positiva. Com paciência, trabalharam juntos na limpeza da casa e na estocagem dos pertences durante as visitas. Oraram juntos pela vontade de Deus para a família. E prosseguiram com a vida enquanto esperavam Deus operar nos detalhes.

"Vender nossa casa levou mais tempo do que esperávamos e, para ser honesta, foi um pouco estressante. Eu estava tão orgulhosa da minha equipe. Eles estavam realmente unidos para encarar o caos que uma mudança acarreta."

Sejam quais forem os desafios de sua família, você e eles, assim como os Wardens, precisarão envolver e incluir todos nesse esforço. Para incentivar o envolvimento de todos, recomendo que você: 1) intensifique sua liderança; 2) dê aos seus filhos oportunidades de liderança apropriadas para a idade deles; 3) seja claro a respeito da organização que deseja implementar; 4) encontre o equilíbrio certo entre alcançar suas metas de organização e ser flexível consigo e com seus entes queridos quando você ou eles não atingirem essas metas.

SUANDO A CAMISA

Quando desentulhamos nossa casa, liberamos um espaço que havíamos esquecido que tínhamos. De igual modo, quando "desentulhamos" nossas agendas e metas, diminuímos o estresse e liberamos espaço mental. Em ambos os casos, precisamos decidir o que fica e o que sai. Fazer escolhas intencionais e drásticas como essas é algo que pode nos dar muito prazer! Porém, como acontece com a reforma de uma casa, para gerar e manter mais organização em nossa vida precisaremos trabalhar duro.

No capítulo 10, apresentamos a organização como ferramenta para realizar melhorias no lar. Segue agora um resumo com dicas importantes para diminuir a desorganização e aumentar a ordem:

- **Livre-se de algumas coisas!** Nós temos muitas bugigangas, não temos? Nossa mente e nossa agenda estão igualmente "cheias" — cheias das metas que tentamos alcançar e do estresse que esse esforço às vezes pode ocasionar. Um *designer* de interiores pode ajudá-lo a reduzir ou organizar melhor suas coisas. Eu? Eu o incentivo, se possível, a livrar-se de uma parte de sua agenda cheia e da busca por metas impossíveis. Abrir mão desse tipo de "bugiganga" pode trazer bastante alívio.

- **Siga o curso da vida!** Pode ser que você esteja em uma fase corrida da vida e não consiga diminuir compromissos e metas neste momento. Seja compassivo consigo e com sua família ao aceitar a fase que está atravessando e sendo o mais flexível possível com coisas como: pontualidade nos compromissos, prazos perdidos, a roupa que esqueceu de colocar para lavar e horários irregulares para dormir. Exercitar a compaixão e a flexibilidade ajudará a reduzir o estresse.

- **Assuma!** Como o "diretor executivo" de sua família, você é responsável por liderá-la ao criar e manter a ordem no lar. Antes de poder liderar seus filhos, você e seu cônjuge terão de assumir seus papéis de liderança e apoiar um ao outro. Os "negócios" vão caminhar conforme seus líderes, então não adianta dizer que "outra pessoa cuidará disso". Você é a outra pessoa.

- **Dê aos filhos oportunidades de liderança.** Ao estabelecer rotinas consistentes, delegar tarefas apropriadas à idade e incluí-los na manutenção da casa, você está possibilitando aos filhos treinarem a liderança. Por meio dessas experiências de treinamento, eles poderão aprender o valor de cuidar da casa e do trabalho em equipe.

- **Experimente as metas inteligentes.** Dizer "gostaria que fôssemos mais organizados" não é suficientemente específico, mensurável, alcançável, razoável ou delimitado. Quanto mais inteligentes forem suas metas, melhor! Você também precisa levar em consideração quanto você e sua família estão prontos para a mudança. Com as metas certas e no estágio adequado, terão uma chance real de criar e cultivar mais organização no dia a dia familiar.

A GRANDE SURPRESA

O que você vai ver e ouvir quando a desorganização estiver diminuindo e a organização estiver crescendo em sua família? Talvez algo como:

"Esta semana chegamos pontualmente todos os dias!"

"Terminamos as tarefas escolares e tomamos banho tão cedo que sobrou tempo para lermos antes de ir para a cama. Nem acredito!"

"Meu marido faz a maior parte das compras voluntariamente. Por esse e outros motivos, ele é mesmo o melhor parceiro que eu poderia ter."

"Hoje foi meu dia de levar as crianças para o treino, fazer o jantar e começar a tarefa escolar. Não sei como minha esposa faz isso tudo, mas sou cada vez mais grato a ela."

"Dar uma pausa nas aulas de futebol e de balé deu à nossa família um pouco mais de tempo livre. Estávamos precisando."

Esses são apenas exemplos das grandes surpresas das quais espero que você e sua família desfrutem juntos em breve. Você e eles precisarão trabalhar juntos para decidir como será ter mais organização em sua família. Eu não posso definir como sua organização deve ser, e você não pode julgar sua família de forma justa utilizando o modelo de organização de outra família. Entretanto, ao estabelecerem o trabalho conjunto com o intuito de alcançar metas realistas, começarão a ver e a sentir a mudança pela qual esperam. E isso é o mais importante: que você e sua família vivam de acordo com a organização que faça mais sentido para vocês.

FALE TUDO

1. Em quais aspectos você é desorganizado? E sua família?

2. Quais mudanças você e sua família já fizeram para ter mais organização em casa? Quais mudanças ainda precisam fazer?

3. Cite uma meta de organização que você almeja que sua família atinja. Aplique as características das metas inteligentes para aumentar suas chances de atingir essa meta com sucesso.

META DE MELHORIA NO LAR:
Acabar com o tédio.

FERRAMENTA DE MELHORIA NO LAR:
Estimular a diversão.

· 11 ·

ESTIMULE A DIVERSÃO

Para que servem os parques, as trilhas,
os brinquedos e os jogos se, no fim das contas,
não fazemos uso deles?

#paradescontrair

GARY: Até me acho divertido, mas nada comparado a Karolyn. Com ela, todos os dias são uma aventura!
#a diversão mantém o espírito jovem!

SHANNON: Nossos filhos vivem para se divertir! Se estão acordados, estão se divertindo.
#a diversão torna a vida mais interessante!

Você se lembra de toda a diversão que tinha quando criança? Bons tempos aqueles, não é? Você não se estressava nem se cansava. Tinha todo o tempo do mundo para fazer o que fazia melhor: ser criança!

Para as crianças, o potencial para diversão está em todos os lugares e em todas as coisas. Os passeios de bicicleta, os dias chuvosos e as folhas no chão são grandes oportunidades para se divertir. A folha em branco, o giz de cera, a tesoura e a cola são convites para criações ilimitadas da imaginação. As bonecas, os bichinhos de pelúcia, os bonecos de ação e os carrinhos de miniatura tornam-se reais, personagens vivos que precisam ser alimentados, vestidos, combatidos e derrubados. E as piadas, as charadas, os barulhos e as caretas... a energia e o amor das crianças pela diversão é surpreendente!

Mesmo quando adultos, ainda gostamos de diversão. O que muda é nossa disposição e as oportunidades para a diversão, bem como nossa definição dela. Para nós, diversão pode ser relaxar em nossa poltrona preferida enquanto lemos um livro ou assistimos a um filme, fazer hidroginástica ou sair para uma caminhada. Você talvez goste de passar tempo rindo com seu cônjuge e filhos. Mas achar tempo para a diversão pode ser difícil quando estamos lidando com pessoas reais que têm necessidades reais e que nos mantêm ocupados quase o dia inteiro. Todavia, definitivamente não teremos diversão se não tentarmos.

O interessante é que, embora os adultos e as crianças tenham perspectivas diferentes sobre diversão, ambos se entediam se ficarem presos em uma rotina. Isso também se torna um problema para casais e famílias. Quando fazemos as mesmas coisas repetidamente, todos os dias, a vida vira um tédio e começamos a desejar experiências novas e empolgantes.

A fim de mudar as coisas no lar, os casais e os pais com frequência pensam em criar lugares mais divertidos dentro e fora de casa. Eles querem criar espaços novos, agradáveis e relaxantes, ou aumentar e renovar os espaços já existentes para recreação e descanso. Seja por meio de arquitetos ou *designers* de interiores, seja por conta própria, a lista de possibilidades de melhorias é imensa. Dentro de casa, podemos cogitar um canto para leitura, uma sala de jogos ou uma oficina artística. Fora de casa, podemos cogitar cadeiras de balanço, uma casa na árvore, uma caixa de areia, espaço para refeições, fogueiras, quadras, jardins... você captou a ideia.

A diversão é a ferramenta de melhoria no lar mais fácil de ser utilizada. Na verdade, talvez você até queira deixar mais espaço em sua caixa de ferramentas para essa poderosa ferramenta contra o tédio!

DIVIRTA-SE!

Gostaria que pensasse bem na possibilidade de aumentar a diversão em sua vida familiar por três motivos. Primeiro, pela realidade de que a vida é muito mais que só trabalhar. Sim, o trabalho pode ser divertido, e espero que goste do seu! Porém, é muito fácil ficarmos imersos em nosso trabalho e focados somente em pagar as contas. C. S. Lewis escreveu: "Meu pai, em quem eu acreditava cegamente, representava a vida adulta como uma incessante labuta sob a ameaça constante de falência financeira".[1]

Você também pode ter crescido em um lar que, por um motivo ou outro, não valorizava ou priorizava a diversão. Ou agora você talvez seja o adulto que, em vez da diversão, prioriza a tranquilidade financeira ou uma casa organizada. A boa notícia é que a diversão não precisa custar caro. Muitas famílias encontram ou criam diversões gratuitas, ou economizam para poder bancar aventuras mais caras. Se você se convencer do valor da diversão, encontrará um jeito de se divertir e desfrutará ainda mais da vida.

> Seu cônjuge e filhos talvez queiram que você brinque e relaxe mais.

O segundo motivo para considerar aumentar a diversão da sua família é que sua família está esperando por você!

A exemplo de C. S. Lewis, talvez seu cônjuge e seus filhos queiram que você brinque e relaxe mais. Talvez eles o convidem para entrar na brincadeira de um jeito ou de outro, e você continua dizendo coisas como: "Só um minuto", "Agora eu não posso", "Fica para a próxima, prometo". Se você frequentemente recusa os convites para se divertir com sua família, precisa cogitar fazer algumas mudanças em sua agenda e em sua atitude relacionada ao tempo de qualidade. Caso contrário, talvez venha a sentir-se culpado por sempre deixar seus amados de escanteio.

Porém, pode ser que *você* esteja sendo deixado de escanteio. Talvez esteja esperando que seu cônjuge ou filhos mais velhos participem com você de atividades divertidas. Tendo trabalhado com tantas pessoas, sei que ficar esperando que seus queridos venham até você pode ser triste e desanimador. Um pai disse: "Só queria que meu filho tentasse jogar golfe comigo. Acho que ele iria gostar". Meu incentivo para você é: não desista! Continue a convidá-los, mas não os pressione. Talvez seja necessário interessar-se por atividades que sejam divertidas para eles. Se eles não forem até você, vá até eles.

Claro que participar de atividades que sejam divertidas para eles não significa que você não deva ter seus próprios interesses. Na verdade, este é o terceiro motivo para considerar estimular a diversão: porque você merece! Reflita sobre como se sente quando reserva tempo para se divertir. Seja fazendo aulas de cerâmica, correndo após o fim do expediente, escrevendo poesia ou tomando um banho de espuma na banheira, a diversão tem o poder de nos energizar! Não faz bem apenas para as emoções e para o físico, a diversão também faz bem para os relacionamentos. Você terá mais energia para investir em sua família.

ELABORANDO OS PLANOS

Como você quer aumentar a diversão em sua casa? Lembre-se, não sou um reformador, portanto não estou apto a dar conselhos sobre como aprimorar seu espaço físico; sou um conselheiro familiar e conjugal, e estou incentivando você a procurar formas de estimular a diversão em seu estilo de vida familiar.

Shannon e eu somos fãs de coisas práticas. Então, para começar a pensar em mais diversão, vamos dar uma olhada na rotina típica de sua família. Consegue criar mais diversão na rotina do café da manhã, talvez com um livro de piadas na cozinha? Consegue tornar o trajeto para a escola e para o trabalho mais divertido ao cantar suas músicas prediletas ou ouvir um *podcast*? Consegue fazer uma caminhada depois do expediente? Será que você e sua família conseguem fazer o jantar juntos e talvez alterar o cardápio para incluir receitas internacionais, numa espécie de "jantar ao redor do mundo"?

E quanto a brincadeiras em família? As crianças brincam naturalmente e esperam que você se junte a elas. E se você se comprometer a brincar todos os dias com seus filhos por trinta minutos sem interrupções?

Quando nossos filhos eram jovens, eles adoravam brincar com jogos de tabuleiro, como Banco Imobiliário ou Detetive. Hoje em dia, as crianças preferem *video games*. Eu particularmente acho que os jogos de tabuleiro estimulam muito mais o desenvolvimento mental e social. Contudo, o importante é que você brinque com eles. "Stephen e eu chegamos cansados do trabalho e nem sempre estamos a fim de brincar", diz Shannon. "Mas nos juntamos aos nossos filhos e brincamos com eles sempre que conseguimos. E, quer joguemos Banco Imobiliário, brinquemos de luta de piratas ou criemos um restaurante de faz de conta, nós e as crianças nos divertimos juntos".

E que tal um tempo para se exercitar? Muitos adultos acham que não têm tempo para isso. Mas e se envolverem os filhos no exercício ao levá-los para as caminhadas e passeios de bicicleta com você? É claro que seria desafiador envolver seus filhos, sobretudo se ainda forem pequenos, em atividades físicas mais intensas, mas esse talvez seja um bom momento de diversão para eles. Pode ser que você precise da ajuda do cônjuge para cuidar dos seus filhos enquanto tira um tempo para as necessárias atividades físicas (o seu tempo de "diversão"). Até brincar com uma bola de basquete ou de futebol com a família pode ser recompensador.

> Lembrem-se de acrescentar "tempo de diversão do casal" aos seus planos de reforma da vida no lar.

A hora de ir para a cama é outro momento com potencial para diversão. Ler para os filhos, deixar que eles leiam para você, ler para si mesmo depois de as crianças dormirem, ou ler para o cônjuge são possibilidades de diversão. Outras alternativas incluem cantar, compor musiquinhas, desenhar, ou fazer um lanche juntos.

Como pode perceber por meio dessa lista de ideias para aumentar a diversão e a brincadeira, não são necessários espaços especiais em sua casa para que haja entretenimento. Com certeza alguns espaços são inspiradores; porém, o ingrediente principal para aumentar a diversão é a intencionalidade. Na verdade, como seres humanos, somos programados para a diversão. Da mesma forma que nossos filhos e netos fazem isso naturalmente, nós adultos precisamos nos entregar às brincadeiras!

Falamos sobre a importância de criar diversão para você e para seus filhos. Mas, antes de prosseguir, outro aspecto que quero acrescentar é a diversão com seu cônjuge. Conversei com muitos casais ao longo dos anos que tinham pouco tempo e energia um para o outro depois de lidar com todas as outras responsabilidades. Em vez de dar o melhor de si para o outro, recebiam apenas o que sobrava. Eles precisavam de mais tempo e de mais diversão juntos. Você e seu cônjuge também precisam, então lembrem-se de acrescentar "tempo de diversão do casal" aos seus planos de reforma da vida no lar.

FAÇA VOCÊ MESMO

Uma vez que minha tendência é trabalhar demais, preciso agendar um horário para diversão. Karolyn me ajuda com isso. Ela também tem uma agenda cheia, mas é mais competente que eu em incorporar diversão à rotina. Então, quando ela diz: "Vamos viajar" ou "Vamos jantar fora", eu respondo: "Onde e quando?". Não aprecio apenas nosso tempo juntos, mas aprecio também esse tempo de folga para mim mesmo.

Shannon admite que também acaba ficando presa ao trabalho: "Acontece de eu estar trabalhando e ouvir o Stephen jogando *video game* ou brincando de pirata com as crianças. Ele é bem mais divertido que eu, e me inspira a parar o que estou fazendo e curtir o momento".

Esses são exemplos práticos de como Shannon e eu estamos tentando proporcionar a nós mesmos um pouco mais de diversão. E você? O que precisa "fazer você mesmo" para se divertir?

E se você se deixasse levar, se surpreendesse seu cônjuge ou filhos envolvendo-os em uma atividade divertida? Tente e veja o que acontece! Pergunte ao seu cônjuge se ele quer assistir a um programa de televisão com você. Pergunte aos seus filhos se eles querem desenhar ou jogar basquete com você. Permita-se tomar uma xícara de chá enquanto lê sua revista preferida.

Esses são só alguns exemplos para você refletir. Você conhece as necessidades e os interesses de sua família. Por que não adotar novas formas de se divertir? Se seus entes queridos perguntarem o motivo, ou se você mesmo se questionar, a resposta é "porque sim". Porque existe mais nesta vida que trabalho, porque seus amados estão esperando que você os envolva e curtam a vida juntos, e porque você precisa e merece se divertir.

Como disse Carlos sobre os esforços que ele e Natália fizeram: "A melhor coisa que já fizemos para nós e por nossa família foi justamente ter mais diversão! Claro que a diversão não fluiu naturalmente, como o trabalho flui, mas começamos a agendar tempo para a diversão e as coisas mudaram para melhor".

O COMBO COMPLETO

É fato que as crianças não precisam de ajuda para se divertirem mais. Observe-as por alguns minutos e verá por si mesmo. Os adultos, por sua vez, às vezes precisam de ajuda com essa ferramenta de aprimoramento familiar. Eu poderia até dizer: "Peça ajuda aos seus filhos". Todavia, quando se trata de diversão, pedir ajuda aos filhos pode levá-lo à exaustão. Ainda assim, você precisará acompanhar de perto esses planos de aumentar a diversão em sua casa.

Tendo em vista essa necessidade, recomendo que todos sejam incluídos na diversão por meio da elaboração de um "quadro da diversão". Ele deve incluir três categorias: 1) diversão familiar,

2) diversão do casal, e 3) minha diversão. Você pode renomear ou reorganizar essas categorias como bem desejar. Também pode deixar essa lista visível e permitir que seu cônjuge e seus filhos o incentivem em seus esforços. Minha recomendação é que você coloque sua lista na geladeira ou em um lugar acessível para toda a família. Deixe-a bem colorida, de preferência usando adesivos e estrelas douradas! Isso os estimulará a apoiarem seu esforço e lhes mostrará que a diversão é bem-vinda e valorizada em sua casa. É claro, você pode optar por não expor seu quadro da diversão, mas, seja de forma confidencial ou pública, marque suas conquistas cada vez que atingir suas metas diárias ou semanais de "diversão". E dê espaço à espontaneidade. Alguns de nós precisam de incentivo para sair da rotina e fazer algo improvisado. Isso também pode ser divertido!

Quais serão suas metas de diversão? Isso é com você! Você pode usar algumas das ideias que compartilhei, mas talvez surjam metas de diversão que são específicas e importantes para sua vida. É aqui que as metas inteligentes (capítulo 10) serão mais uma vez úteis. Ao estabelecer metas de diversão que sejam significativas, mas factíveis, é mais provável que consiga dar continuidade a seus planos e progredir neles. Conforme dá pequenos passos diários rumo às metas de diversão, marque um X ou coloque estrelas para pontuar seu esforço. Sim, isso é meio "infantil", mas funcionou no passado, e vai funcionar agora! Dê uma chance! E um último incentivo: faça do seu quadro da diversão algo divertido!

 ## SUANDO A CAMISA

Ter mais diversão será o "trabalho árduo" mais fácil em que você e seus familiares se envolverão nesse processo de melhorias no lar. Por quê? Porque todos vocês querem e precisam de mais tempo de diversão individualmente, como casal e como família. O maior desafio não será a diversão em si, mas a intencionalidade que você, como adulto, precisará ter para liberar sua mente e sua agenda para a diversão. Se conseguir fazer esse esforço, você e sua família verão o tédio diminuir e a diversão aumentar.

No capítulo 11, apresentamos a diversão como ferramenta para realizar melhorias no lar. Segue agora um resumo com dicas importantes para diminuir o tédio e aumentar a diversão:

- **Seja doido por diversão!** As crianças são especialistas em diversão — elas são doidas por se divertir! Nós adultos sabemos, porque já fomos crianças! Compreensivelmente, à medida que as responsabilidades aumentaram, fomos perdendo o tempo, a energia e as oportunidades de diversão. Nossa definição de diversão também mudou. Mas ainda a desejamos e precisamos dela. Se ficarmos presos em um ciclo repetitivo, ficaremos entediados. Para diminuir esse tédio, temos de resgatar a diversão em nossa vida. É aqui que podemos aprender com o exemplo de nossos filhos e netos. Temos de nos entregar à diversão e às brincadeiras.
- **Coloque a diversão em prática.** Saber que queremos ou que precisamos de mais diversão não é o suficiente para fazer a mudança; temos de colocar em prática esses pensamentos e sentimentos. Isso talvez signifique participar mais das brincadeiras dos filhos, fazer mais caminhadas com o cônjuge e reservar tempo para fazer algo divertido para nós mesmos que não esteja relacionado ao trabalho. Colocar a diversão em prática nos dá energia e ainda traz

o benefício de nos tornar mais dispostos para nossos relacionamentos mais importantes.

- **Faça você mesmo.** Você merece se divertir. Ponto final. Esse é um motivo mais que válido para dar uma chance à diversão. Você trabalha duro, cuida da família e, em geral, sempre se coloca por último em tudo. E se, de vez em quando, você se permitisse se divertir? Descansar, exercitar-se, ler, escrever, pintar, costurar, jogar golfe, entrar para um coral, praticar jardinagem — seja lá o que for, o importante é se divertir! Acredito que verá e sentirá os resultados rapidamente. Talvez até reconheça aquele sentimento bom de anos atrás, quando não tinha tanta responsabilidade. Essa sensação boa ainda está aí e vale a pena; você só precisa se permitir ter tempo e oportunidade para vivenciá-la.

- **É possível se divertir.** Pare de dar desculpas! A diversão não precisa custar caro, nem ser demorada. Às vezes, postergamos a diversão sem motivo nenhum. Tudo bem que estar cansado é uma desculpa razoável. Mas esse é o ponto! Se você está cansado demais para se divertir, precisa dar um jeito nisso. Descanse e encontre tempo para se divertir sozinho, com seus filhos e com seu cônjuge.

- **Porque sim!** Tecnicamente, você não precisa de um motivo para se divertir. Eu já lhe dei os motivos: 1) há mais nesta vida que o trabalho, 2) seus amados estão esperando você para se divertir com eles, e 3) você merece se divertir. A verdade é que você e sua família devem se divertir o máximo que puderem. A diversão é parte importante da vida, e ela nos reabastece e nos desafia a continuar testando nossas habilidades e nossa imaginação. Divertir-se com sua família faz a diversão ser ainda maior!

- **O quadro da diversão.** Pode parecer um pouco "antiquado", mas quando se trata de diversão, o quadro da diversão é a melhor solução. Seja expondo o quadro para toda a família ou mantendo-o para si, aceite o desafio de separar diária ou semanalmente tempo para: 1) diversão em família, 2) diversão com o cônjuge, e 3) diversão para si mesmo. Você pode renomear ou reorganizar essas categorias como quiser, mas dê uma chance para o quadro da diversão. Permita que isso o ajude a organizar suas metas e servir tanto como forma de prestar contas quanto como um sistema de recompensas. À medida que atingir suas metas, sugiro que recompense a si mesmo com mais diversão!

A GRANDE SURPRESA

Não há motivos para não se divertir hoje. Cante, dance, ria, pinte, construa algo, assista a seu programa preferido, leia, deixe que seu filho leia para você — divirta-se hoje. *Hoje* é a palavra-chave. Você não pode voltar no tempo e se divertir. Também não pode adiar a diversão até que alcance todos as suas metas. Agora é a hora.

Conforme der chance para a diversão, acredito que verá e experimentará muitos momentos de grande surpresa, nos quais você e seus familiares não estarão fazendo as mesmas coisas de sempre. Em vez disso, você e eles, juntos, sentirão a energia e a satisfação que vêm da diversão. Como adulto, é evidente que sua definição de diversão será diferente da definição das crianças. Talvez até da de seu cônjuge. Deixe que essas diferenças incentivem vocês a tentarem coisas novas. Diversão é diversão, e ela nos energiza e nos aproxima. As oportunidades para a diversão são infinitas, assim como serão os momentos de grande surpresa que a diversão proporciona. Desfrute!

 **FALE TUDO**

1. O que você está fazendo para se divertir mais em sua vida?

2. Quando foi a última vez que você e seus filhos se divertiram juntos?

3. Quando foi a última vez que você e seu cônjuge se divertiram juntos?

4. Qual é o conceito de diversão de seus filhos?

5. Qual é o conceito de diversão de seu cônjuge?

6. Quais metas de diversão você deveria acrescentar ao seu quadro da diversão?

META DE MELHORIA NO LAR:
Diminuir a distração.

FERRAMENTA DE MELHORIA NO LAR:
Estabelecer a conexão.

· 12 ·

ESTABELEÇA A CONEXÃO

A cozinha é o coração do lar; a conexão é
a batida do coração.

#paradescontrair

GARY: Em algumas ligações, perder a conexão da chamada é uma bênção oportuna! Mas nunca se for com a Karolyn.
#a conexão nos mantém unidos!

SHANNON: Sabem aquelas atividades de ligar os pontos que as crianças fazem? Acho que ainda estou "ligando os pontos", os pontos da vida real.
#a conexão é para a vida toda!

Você já ouviu alguém dizer: "Quero uma cozinha nova e bonita, com muito espaço para apenas uma pessoa"? Eu também não. Em geral, quando sonham com a cozinha ideal, as pessoas dizem algo como: "Quero que consigamos sentar juntos, olhar uns para os outros e conversar enquanto comemos". Por quê? Porque, como casais e famílias, desejamos conexão. Queremos e precisamos estar juntos física e emocionalmente.

A cozinha nos une. É onde está o alimento, e é onde cada um de nós encontra não somente a nutrição física, mas também a nutrição emocional! Por esses motivos, a cozinha é conhecida como o coração da casa. A conexão que acontece lá é a batida do nosso coração, e isso nos faz seguir em frente!

É claro que a conexão pode acontecer a qualquer momento e em qualquer lugar. Ainda assim, a cozinha é um importante local de reunião que nos convida a compartilhar a vida e estabelecer conexão. Além de nos reunirmos ali para comer, a cozinha é onde descarregamos e guardamos mantimentos, decidimos cardápios, preparamos refeições, e lavamos a louça depois de comer. Algumas famílias talvez façam reuniões familiares e tarefas escolares na mesa da cozinha. Não é à toa que a chamamos de "coração" da casa!

Entretanto, o fato de estar na cozinha não cria por si só uma conexão entre nós e nossos familiares, como se fosse mágica. Trabalhei com muitas pessoas que viviam na mesma casa, mas estavam emocionalmente desconectadas. No funeral de seu pai, um homem me disse recentemente: "Nunca conheci meu pai, embora vivêssemos na mesma casa".

DISTRAÍDO E DESCONECTADO

Sim, todos nós desejamos proximidade emocional. Mas temos de nos empenhar nesse esforço intencional a fim de estabelecer e manter essa conexão. Sem os ingredientes do desejo e do esforço, surgem facilmente distrações que roubam nossa atenção dos relacionamentos mais importantes.

Como recém-casados, Chen e Kiera comprometeram-se a priorizar a vida familiar; com o tempo, porém, outras prioridades acabaram tomando o lugar dessa. À medida que a família crescia, eles continuavam desejando ter tempo em família; no entanto, dispunham de cada vez menos energia e oportunidade para tempo de qualidade juntos. Sabiam que algo precisaria mudar se algum dia quisessem resgatar esse foco familiar saudável.

As distrações são um problema para muitas famílias e, assim como a conexão, podem acontecer a qualquer momento e em qualquer lugar. Às vezes, a distração é parte inevitável da vida. Alguns casais, contudo, não conseguem se livrar das distrações que são evitáveis. Ficamos no telefone, administrando nosso calendário, nossa lista de tarefas, preocupando-nos com coisas que estão fora de nosso controle, ocupados com tudo, exceto com a família.

Quando a distração se torna a regra, não damos devido valor uns aos outros (capítulo 3) e nos tratamos como colegas de casa que sempre estarão lá, independentemente de como cada um é tratado. Esse é um problema que, se não for corrigido, produzirá distanciamento emocional. Somos competentes em nos afastar emocionalmente, quando deveríamos promover uma aproximação amorosa e constante.

E se aprendêssemos a priorizar nossos relacionamentos em vez de ignorar uns aos outros? E se aprendêssemos a nos ver como parceiros valiosos para a vida? "Preciso de você em minha vida!" "Não sei o que faria sem você!" Sentimentos sinceros como esses refletem a proximidade emocional que se torna possível quando nós, como casais e famílias, diminuímos a distração. Para alcançar essa meta, precisamos da conexão como ferramenta de aprimoramento familiar.

CONEXÃO: AGORA É A HORA!

A vida é curta! Então por que tantas pessoas passam pela vida de qualquer jeito, como se os dias fossem apenas uma série de afazeres a cumprir? Corremos com tudo, menos com as questões do lar, damos nosso melhor ao mundo em vez de dar à nossa família, e deixamos para amanhã o que poderíamos e deveríamos fazer hoje. Enquanto isso, perdemos oportunidades de conexão com nossos entes queridos.

As conversas diárias na mesa da cozinha são importantes para estabelecer proximidade emocional, mas será que entendemos e sentimos quanto agregamos à vida uns dos outros? Não podemos nos permitir passar pela vida de qualquer jeito; nossos amados estão aqui e agora, e agora é a hora que temos para desfrutar da vida juntos.

Shannon compartilha: "Meu pai faleceu no dia 24 de junho de 2017. Tinha acabado de completar 73 anos. Penso nele todos os dias e sempre me pego chorando por saudade dele. Gostaria de ter usado melhor nosso tempo juntos. Também fico triste porque gostaria que meus filhos tivessem tido mais tempo para conhecê-lo e ser conhecidos por ele".

Hoje Shannon entende melhor o valor de uma conexão profunda com a família. A morte tem esse poder: ela nos lembra de quanto a vida é curta.

Karolyn e eu já estamos cientes da brevidade da vida. Sabemos que estamos na etapa final da vida e, em vez de lamentar o tempo que se foi, nos comprometemos a nos conectar com nossos filhos e netos de formas ainda mais significativas que antes. Conversamos frequentemente com eles para acompanhar suas alegrias e lutas e para oferecer qualquer tipo de ajuda que pudermos. E, mais que isso, envidamos esforços para viajar e nos divertir com eles sempre que possível. Por quê? Porque sabemos que o tempo é curto! Não queremos perder a chance de nos conectarmos de formas verdadeiramente significativas enquanto ainda estamos todos juntos.

A conexão emocional nos dá a oportunidade de ajudar uns aos outros a atingir nossos objetivos e propósitos na vida. Estamos ligados de diferentes maneiras. Temos personalidades, habilidades e interesses diferentes. Quando distraídos com nossos próprios brinquedos, acabamos nos isolando. Quando conectados, entramos na vida uns dos outros e podemos encorajar-nos mutuamente. Um jovem certa vez me disse: "Adoro jogar futebol, mas meu pai nunca vai aos jogos. Está sempre muito ocupado com o trabalho". No caso desse pai, o trabalho o mantém distante dos interesses do filho.

Acreditamos que a maior satisfação da vida consiste em servir a Deus mediante o serviço ao próximo. Jesus disse sobre si mesmo: "Eu não vim para ser servido, mas para servir". Ele é nosso modelo. Ao receber o Prêmio Nobel, o dr. Albert Schweitzer, um médico que investiu sua vida na África, disse: "Estou convencido de que os únicos que encontrarão a verdadeira felicidade na vida são aqueles que procuram e encontram formas de servir aos outros".

> Percebemos que vivemos juntos por uma razão.

Um de nossos objetivos na vida familiar é ajudar cada um a desenvolver suas habilidades e descobrir meios de servir aos outros. Isso não acontecerá se não estivermos emocionalmente conectados.

Buscar nossa vocação e nossos sonhos dá sentido à nossa vida individual, mas também dá sentido à nossa vida familiar. Você, seu cônjuge e seus filhos possuem desejos e habilidades que podem usar para contribuir uns com os outros e com o mundo. Quando nós, como casais e famílias, estabelecemos essa conexão, aprendemos a ver uns aos outros e os relacionamentos entre nós como cheios de propósito. Percebemos que vivemos juntos por uma razão: incentivar uns aos outros à medida que cumprimos nossos propósitos individuais e coletivos.

Com conexões significativas e relacionamentos cheios de propósito, mudamos nossa vida e nossos relacionamentos e a vida familiar é transformada. Quando se conectam dessa forma, você e seus entes queridos não compartilham apenas o mesmo endereço, mas também seus propósitos de vida.

ELABORANDO OS PLANOS

Você talvez esteja se perguntando: "Então a ideia é que a gente se conecte e vivencie relacionamentos cheios de propósito?". Sim! É exatamente isso! Você e seus familiares naturalmente querem e precisam de conexão. A conexão com a família é a nutrição emocional que nos sustenta na vida.

Você também pode estar se perguntando: "Ser uma família já não nos conecta? Será que realmente precisamos fazer algo além disso?". É uma boa pergunta! Não podemos apenas esperar que compartilhar o mesmo sobrenome e endereço gere uma conexão. Muitos casais e famílias passam pela vida sem nunca se permitirem desfrutar uns dos outros. Como seu conselheiro de reformas na vida do lar, quero que você experimente mais! Quero que seu plano de aprimoramento familiar envolva mais conexão e, com isso, mais alegria e propósito do que você e seus familiares já têm vivenciado.

Como geramos uma conexão mais profunda? Para começar, você terá de averiguar quais são as distrações em sua casa. O que impede que vocês se conectem uns com os outros? Talvez você queira seguir o famoso conselho de desfrutar de uma "refeição sem eletrônicos"[1] e desligar telefones celulares, *tablets*, aparelhos de televisão e assim por diante durante as refeições. Pode parecer constrangedor no começo. As crianças talvez resistam a essa mudança. Explique seu propósito em fazer essa mudança. Você pode dizer: "Queremos aproveitar nossas refeições para compartilhar a vida. Queremos saber o que cada um está fazendo e como podemos ajudar uns aos outros".

Para dar alguma direção a seus diálogos durante as refeições, você pode usar a sugestão de Shannon. Ela recomenda "três coisas em três minutos". Pergunte para cada um: 1) O que aconteceu hoje? 2) Por que isso foi importante para você? 3) Como se sente com relação a isso? Você talvez queira falar sobre uma coisa que aconteceu durante o dia, ou várias. Talvez conversem por três ou trinta minutos. O objetivo principal do "três coisas em três minutos" é que sua família encontre meios factíveis e significativos de conexão.

Vocês também podem fazer um acordo para que, em qualquer momento que um de vocês precisar falar ou ser ouvido, os demais vão parar o que estão fazendo para apoiar a pessoa em necessidade. Atitudes como essa mostram claramente seu compromisso de se conectar.

As distrações que enfrentamos como casais e famílias nem sempre estão relacionadas ao tempo. Algumas distrações dizem respeito às muitas preocupações e problemas que enfrentamos na vida. Entre elas estão perda de amigos, mudança de escola ou de classe, medo de falhar, dificuldades no trabalho, desafios financeiros, doenças, morte de um ente querido... e a lista continua. Apoiar uns aos outros enquanto enfrentamos nossas questões é um jeito poderoso que os casais e as famílias têm de demonstrar compromisso com a conexão.

Uma solução criativa que Shannon e eu recomendamos para casais e famílias quando lidam com preocupações é criar para a família uma caixa de preocupações ou questões. (Prefiro a palavra "questão" em vez de "preocupação". Uma questão nos leva à ação, enquanto uma preocupação tende a nos deixar sufocados e sem respostas.) Se uma questão que estou enfrentando é minha próxima prova, fico motivado a estudar. Se estou preocupado, sinto-me simplesmente sobrecarregado e com medo de falhar. A caixa de questões pode ser de qualquer tamanho. Cada membro da família escreve suas questões e coloca os papéis na caixa. Os demais podem ler periodicamente as questões e orar uns pelos outros. De tempos em tempos, podem reservar tempo em família para que cada pessoa compartilhe uma de suas questões e os outros demonstrem empatia, talvez oferecendo sugestões. Essa é uma forma solidária de estabelecer conexão.

Sejam quais forem suas distrações familiares e seus planos de melhorias no lar, incentivo-o a lembrar que, apesar de a conexão exigir uma ação, a conexão é uma atitude. Você precisa aprender a reconhecer que a vida é curta, que o tempo com a família é precioso e que vocês possuem o incrível privilégio de apoiar uns aos outros à medida que cada um vivencia seu propósito de vida.

FAÇA VOCÊ MESMO

Incentivar e ajudar outras pessoas deveria ser um estilo de vida. E nossa família deveria estar no topo da lista das pessoas que incentivamos e ajudamos. Pense um pouco sobre como você é abençoado e como pode ajudar os outros.

Uma forma de descobrir seu propósito é se perguntando: "O que me dá mais alegria?". É provável que esse seja o chamado ou o sonho que o impulsiona. Foque-se nesse chamado ou sonho, desenvolva-o, aperfeiçoe-o, alegre-se nele, e espere avidamente pelos seus efeitos nos outros.

As pessoas sempre me perguntam: "Gary, como conseguiu escrever mais de cinquenta livros?". Para ser honesto, não planejei escrever livros. Eu queria ajudar as pessoas como conselheiro. Os livros são uma extensão do meu aconselhamento. Eu só segui em frente, obedecendo ao chamado de Deus para minha vida, para escrever e ajudar as pessoas. Um livro levou ao outro e agora estou aqui, escrevendo e incentivando você a fazer melhorias em seu lar. E ainda amo fazer isso, mesmo depois de tanto tempo!

É o que espero que aconteça com você: que "faça você mesmo"! Ouça seu chamado, dê um passo e depois o próximo, até ter desafiado a si mesmo e ajudado o máximo de pessoas que conseguir pelo caminho. Espero que, assim como eu, você algum dia possa olhar para trás com grande alegria pela influência que sua vida exerceu sobre outras pessoas. Também espero que seja grato por aqueles que o influenciaram e o ajudaram. Essas conexões serão suas contribuições mais importantes ao longo da vida.

O COMBO COMPLETO

Muitos dizem: "Não sei como conversar com minha família" ou "Mal consigo fazer meu filho adolescente falar comigo sobre seu dia, que dirá sobre seus sonhos e esperanças".

Conversar pode ser desafiador, e a expressão "conexão profunda" talvez soe até assustadora para alguns. Em vez disso, talvez seja interessante dizer algo como: "Eu me importo com você e com seu futuro e quero apoiá-lo de todas as formas que puder". A boa notícia é que você não precisa anunciar seus planos de se conectar; basta envidar esforços para diminuir as distrações, ouvir mais atentamente, dizer com mais frequência quanto os valoriza e apoiar uns aos outros nas fases e nos desafios que vocês enfrentam ao longo da vida. Esse esforço por si só talvez motive sua família a fazer o mesmo. A boa notícia é que seus esforços mais simples nessa área podem encorajar familiares de todas as idades.

A fim de estimular a comunicação, vocês podem usar o método das "três coisas em três minutos" como forma de manter uma conversa e cultivar a conexão entre você, seu cônjuge e seus filhos. Também podem alternar os papéis de condução da conversa, de forma que haja um revezamento da pessoa que pergunta sobre o dia ou sobre outros itens de interesse.

Onde quer que você e sua família se reúnam, e utilizando ou não o método das "três coisas em três minutos", quanto mais tempo tiverem para se conectar, maior será o impacto. À medida que conversarem com mais frequência e com mais profundidade, também terão a oportunidade de apoiar uns aos outros em seus propósitos únicos de vida.

SUANDO A CAMISA

Não raro, as reformas na cozinha são as mais caras. Felizmente, conectar-se não custa tanto assim! Na verdade, o trabalho árduo da conexão não é tão pesado. Por quê? Porque o *ato* de conectar-se começa com uma *atitude* de conexão. Perceber o valor do outro é algo que começa no coração, e depois nos leva a priorizar os relacionamentos, passar mais tempo juntos, dividir as coisas, ouvir uns aos outros e incentivar-nos mutuamente. Esse tipo de investimento durará para sempre, pois uma geração ensinará a outra sobre a importância da conexão. Isso que é ter retorno em um investimento! O que poderia ser melhor que isso?

No capítulo 12, apresentamos a conexão como ferramenta para realizar melhorias no lar. Segue agora um resumo com dicas importantes para diminuir a distração e aumentar a conexão:

- **A conexão nos aproxima.** Como já dissemos, dividir o mesmo endereço ou sobrenome não garante proximidade emocional. Para cultivar a conexão entre nós e nosso cônjuge e filhos, temos de colocar nossos relacionamentos acima das distrações da vida. Isso pode significar tomar medidas como: desligar os aparelhos eletrônicos durante o tempo em família e expressar um verdadeiro interesse pela vida cotidiana de cada um. Talvez precisemos apoiar melhor uns aos outros durante os momentos estressantes e difíceis e encorajar uns aos outros conforme buscamos nosso propósito único de vida.
- **As distrações acontecem.** A vida é cheia de distrações, mas muitas delas podem ser minimizadas a fim de aprimorar a vida no lar. A família precisa avaliar periodicamente se está conseguindo diminuir as distrações desnecessárias. É especialmente importante que os adultos tomem a frente dessa questão, bem como de todos os esforços de reforma familiar. À medida que o casal priorizar mais um ao outro, e os pais priorizarem mais o tempo familiar, os filhos seguirão seus exemplos. E não se trata de um esforço isolado. Espere uma renovação constante do compromisso com a conexão, porque as distrações surgem

e podem contribuir rapidamente para um distanciamento emocional.

- **Aproveite!** Se você está vivendo de qualquer jeito, ou está preso em um ciclo repetitivo, o que está esperando? A vida está se esvaindo, o que significa que o tempo com seus entes queridos também está. Após a morte do pai da Shannon, a mãe dela comentou: "Olho em volta e vejo as coisas com as quais ele costumava se preocupar: as contas, a casa, e nada disso o preocupa mais". Todos nós temos de dar conta de nossas responsabilidades diárias, mas no quadro geral não deveríamos deixar de fazer hoje o que talvez não teremos tempo de fazer amanhã. Ame sua família hoje! Viva a vida intensamente hoje, enquanto pode!

- **Comece agora!** De fato, não há melhor tempo que o presente quando o assunto é conexão. Sua família talvez seja pega de surpresa, mas comece agora, ouvindo, perguntando sobre o dia, os interesses e os objetivos de cada um, e dizendo que você está torcendo e orando por eles. Quanto mais tempo tiverem para se aproximar emocionalmente, mais natural isso será para sua família. Esse tipo de investimento relacional possivelmente sobreviverá por muito tempo, já que seus filhos e os filhos deles também transmitirão o dom da conexão às gerações seguintes.

- **Uma vida cheia de propósito.** As distrações não só nos impedem de ver e apoiar o propósito de vida de nossos entes queridos, como também nos impedem de cumprir o nosso. A correria e o malabarismo que fazemos para dar conta de tudo podem facilmente nos impedir de seguir nosso chamado ou sonho. Permita-se mais uma vez, e com bastante clareza, perceber a direção que você almeja para sua vida. O que pretende fazer para viver uma vida com mais significado e propósito? O que está esperando? Agora é sua chance!

- **Três coisas em três minutos.** Por diversão, apresente essa atividade à sua família. É um jeito criativo de aliviar a tensão de uma conversa oferecendo uma forma simples, porém concreta, de responder. As três perguntas são: 1) O que aconteceu hoje? 2) Por que isso é importante para você? 3) Como se sente com relação a isso? Pode ser que seus filhos respondam à primeira pergunta com muitos detalhes. Se isso acontecer, descubra qual fato pode abrir espaço para as perguntas 2 e 3. O objetivo principal é fazer cada um falar pois, como dizem, "compartilhar é se importar". Eu iria mais longe: "Compartilhar é se importar e se preparar!". Quando compartilhamos a vida uns com os outros, ficamos mais aptos a apoiar ou ajudar uns aos outros a nos prepararmos para cumprir nossos propósitos de vida.

A GRANDE SURPRESA

"Você acreditou em mim antes que eu mesmo acreditasse."

"Sempre contei com você para me apoiar."

"Obrigado, pai e mãe, por todo o tempo que passaram conosco."

"Obrigada, querido, por colocar nosso relacionamento em primeiro lugar."

Imagine você e sua família dizendo palavras como essas uns para os outros daqui há vinte anos. Mas por que esperar? E se você e seus entes queridos começassem a se conectar agora de uma forma tão boa que em poucos meses começassem a perceber a diferença?

Para alcançar seu desejo por mais conexão, você precisará diminuir as distrações desnecessárias que geram distanciamento emocional entre vocês. Mais que isso, você pode começar abrindo mão de uma atitude de indiferença e passando a investir em uma vida cheia de propósitos. Vocês começarão a ver o valor de cada membro da família e apoiarão os propósitos singulares que cada um tem de tal modo que se aproximarão como nunca antes.

Um último lembrete. Se não trabalhar arduamente, não poderá cumprir seu plano de aumentar a conexão. Sem trabalho, não haverá grandes surpresas! Pegue sua caixa de ferramentas e mãos à obra!

FALE TUDO

1. Quais distrações desnecessárias tendem a atrapalhar seu tempo em família? O que você e sua família já começaram a fazer para diminuir essas distrações?

2. Quais preocupações você e/ou sua família estão enfrentando agora que os impedem de se dedicarem plenamente a seus relacionamentos uns com os outros?

3. Como você e sua família se apoiaram durante os tempos difíceis ou desafiadores da vida?

4. Como você e sua família expressam admiração uns pelos outros?

5. O que você está fazendo para cumprir seus propósitos únicos de vida?

EPÍLOGO

MANUTENÇÃO DO LAR

A manutenção de uma casa e da vida familiar exige muitas reformulações.

> **#paradescontrair**

GARY: Desde cortar a grama e lavar os banheiros até passar o aspirador de pó, quem imaginava que uma casa daria tanto trabalho? #a manutenção da casa é infindável!

SHANNON: Não importa quanto eu varra ou limpe, as marcas na parede, as migalhas e os fiapos estarão lá, bem como a louça suja na pia... Nossa casa é bem "habitada". #as características da manutenção variam de uma casa para outra

"Não dá para acreditar! Não é a mesma casa!"

Você ouve com frequência esse tipo de frase. É uma expressão comum emitida pelo dono de uma casa depois de um grande projeto de reforma. Mas na verdade, apesar de as pessoas estarem encantadas com a transformação, trata-se da mesma casa.

Essa é nossa esperança para você. Shannon e eu esperamos que você use as ferramentas neste livro para transformar seus relacionamentos e construir a vida familiar com que sempre sonhou. Como resumo, as novas ferramentas que recomendamos para sua caixa de ferramentas para melhorias na vida familiar são:

gentileza em vez de egoísmo,

gratidão em vez de desrespeito,

amor em vez de apatia,

conciliação em vez de conflito,

perdão em vez de mágoa,

comunicação em vez de confusão,

confiança em vez de controle,

compaixão em vez de ofensa,

paciência em vez de raiva,

organização em vez de desorganização,

diversão em vez de tédio,

e *conexão* em vez de distração.

Além de recomendar essas ferramentas de reforma da vida familiar, tenho convidado você a elaborar seus planos de mudança e começar essa mudança usando você mesmo essas ferramentas antes de esperar que sua família as use. A iniciativa e a criatividade ajudarão sua família a se envolver com as melhorias necessárias. Também tenho incentivado que você realize o trabalho árduo que uma reforma familiar exige. Com tempo e esforço, seu trabalho duro certamente será recompensado na forma de momentos de grande surpresa.

Ainda quero indicar mais uma ferramenta importante para realizar melhorias no lar: a manutenção do lar. Você já sabe quanto uma faxina pode ser trabalhosa. É interessante que limpar uma casa pode levar horas, mas bagunçá-la novamente é questão de segundos. É por isso que limpar um pouco por dia faz sentido. Poucos de nós temos tempo sobrando para uma faxina geral, mas todos temos alguns minutos aqui e ali para organizar e limpar alguma coisa.

A vida familiar é igual. Desenvolver relacionamentos amorosos e solidários com o cônjuge e os filhos leva muito tempo; é algo que não pode ser feito em poucos segundos, mas que pode ser desfeito num piscar de olhos. Por esse motivo, recomendo que casais e famílias invistam tempo diário na "manutenção do lar".

Em termos de vida familiar, manutenção significa usar constantemente todas as ferramentas de melhoria no lar listadas acima. Em vez de esperar que surjam grandes "bagunças" nos relacionamentos ou que sejam necessários "reparos", use suas ferramentas para prevenir ou atenuar as bagunças e os reparos. Ou, se uma bagunça maior aparecer de repente, reconheça-a e envide esforços para limpar e consertar tudo o mais rápido possível. A agilidade pode ajudar a preservar seus esforços de aprimoramento familiar, em vez de ter sempre de fazer grandes reformas.

Além disso, uma reforma no lar pode ser caríssima. Assim, pessoas que sonham com uma cozinha nova ou um banheiro moderno acabam adiando esse sonho porque acreditam não ter condições de pagar. Ou talvez digam: "Vamos comprar uma casa mais nova". No entanto, é possível fazer uma bela reforma com a orientação profissional certa e um orçamento cauteloso.

Do mesmo modo, alguns pensam: "Nosso casamento e nossa vida familiar jamais vão melhorar. Talvez fosse melhor tentar com outra pessoa". Mas as pessoas não podem abandonar o casamentos e a família tão facilmente quanto podem abandonar sua casa. Muitos desistem e se distanciam emocionalmente de seus familiares. Em alguns casos, viram as costas e vão embora. Essas são atitudes lamentáveis e com grandes consequências para quem abandona e para quem é abandonado.

Assim como acontece em uma reforma literal, os casais agem com mais sabedoria quando investem no casamento e na vida familiar que já possuem, em vez de falsamente acreditar que a grama será mais verde no jardim de outra pessoa. Shannon e eu vivenciamos isso com frequência em nossos anos de casamento e aconselhamento familiar. Essa é uma das razões pelas quais temos a grande alegria de compartilhar com você este *Faça você mesmo: Guia prático para reformar sua família*. Acreditamos de coração que as ideias que compartilhamos aqui podem incentivá-lo a mudar a forma como você e seus entes queridos veem e tratam uns aos outros. E acreditamos que o seu "orçamento" comporta os custos por essas reformas familiares!

Também acreditamos que você é totalmente capaz de realizar a manutenção de um lar maravilhoso. Isso exigirá cuidados diários, que consistem em praticar várias e várias vezes os princípios essenciais do aprimoramento familiar. Porém, você também precisará de outro tipo de "reformulação". Você e seus familiares às vezes irão fracassar nos esforços de melhorias no lar. Você pode e deve permitir que cada um conserte seus erros. Por exemplo, se você falar de modo áspero com o cônjuge ou os filhos, pode pedir um conserto: "Sinto muito. Deixe-me tentar de novo". Ou, se seus filhos tratarem você ou uns aos outros de forma desrespeitosa, pode aconselhá-los dizendo: "Não foi legal o jeito que você agiu. Tente fazer o seguinte...". Agradeça-os por consertarem a situação e siga em frente. Shannon e eu chamamos isso de "a arte do recomeço". Com a prática, casais e famílias podem usar essa incrível habilidade relacional para a manutenção diária do lar e para manter os esforços conjuntos de aprimoramento familiar.

Shannon e eu gostamos de desenvolver as muitas analogias entre a reforma literal e a reforma familiar, desde a gentileza (capítulo 1) até a manutenção do lar, incluindo tudo o que esteve no meio. Essas são ideias que usamos com frequência em nossos aconselhamentos. Esperamos que tenha apreciado o livro tanto quanto apreciamos escrevê-lo. E desejamos tudo de bom a você e seus familiares, conforme trabalham juntos nas melhorias no lar!

QUESTIONÁRIO DE INSPEÇÃO DO LAR

Exigem-se inspeções no lar quando construímos uma casa ou fazemos grandes reformas. Os avaliadores precisam garantir que a casa é segura e está pronta para ser habitada. De igual modo, a família deve sempre avaliar seu lar a fim de garantir que seus relacionamentos sejam satisfatórios. Essa inspeção do lar também pode ajudar a família a identificar quais áreas precisam de melhorias. Para ajudar as famílias com suas avaliações, Shannon e eu criamos o Questionário de Inspeção do Lar.

Completar o Questionário de Inspeção do Lar ajudará você a identificar quais áreas de sua vida familiar necessitam de reforma. Em cada uma das doze áreas listadas abaixo, você verá duas perguntas. A primeira o levará a refletir sobre sua capacidade de liderar sua família em meio aos vários âmbitos da vida familiar. Ao responder, você deve se perguntar: "O que minha família diria sobre mim é verdadeiro?". A segunda pergunta em cada uma das doze séries é sobre você e sua família como um todo. Ao responder, leve em consideração as interações entre todos os que moram em sua casa e pergunte-se: "Como nós estamos nos saindo enquanto grupo?".

As opções para cada pergunta são "satisfeito" ou "precisa melhorar". Estar satisfeito significa que, em geral, você está contente com esse aspecto de sua vida no lar, mesmo que não seja algo perfeito. "Precisa melhorar" significa que você e/ou sua família precisam realizar reformas naquele aspecto da vida familiar.

Tente não se ater demais aos vocábulos das perguntas; em vez disso, responda com base em sua interpretação. Suas respostas resultarão numa classificação de satisfação, e também servirão de ajuda para o planejamento de suas reformas familiares.

Para cada pergunta abaixo, selecione "satisfeito" ou "precisa melhorar".

GENTILEZA

Como indivíduo, de modo geral compartilho minha vida, meu espaço e meus bens com minha família.

Satisfeito _____   Precisa melhorar _____

Como família, de modo geral compartilhamos nosso tempo, nosso espaço e nossos bens uns com os outros.

Satisfeito _____   Precisa melhorar _____

GRATIDÃO

Como indivíduo, de modo geral respeito minha família com minhas atitudes, palavras e comportamento.

Satisfeito _____   Precisa melhorar _____

Como família, de modo geral respeitamos uns aos outros com nossas atitudes, palavras e comportamentos.

Satisfeito _____   Precisa melhorar _____

AMOR

Como indivíduo, de modo geral sou atencioso e grato à minha família.

Satisfeito ____   Precisa melhorar ____

Como família, de modo geral somos atenciosos e gratos uns aos outros.

Satisfeito ____   Precisa melhorar ____

CONCILIAÇÃO

Como indivíduo, de modo geral sou capaz de administrar um conflito com minha família de forma calma e justa.

Satisfeito ____   Precisa melhorar ____

Como família, de modo geral somos capazes de administrar um conflito uns com os outros de forma calma e justa.

Satisfeito ____   Precisa melhorar ____

PERDÃO

Como indivíduo, de modo geral não tenho mágoas nem guardo rancor da minha família.

Satisfeito ____   Precisa melhorar ____

Como família, de modo geral não temos mágoas nem guardamos rancor uns dos outros.

Satisfeito ____   Precisa melhorar ____

COMUNICAÇÃO

Como indivíduo, de modo geral expresso meus pensamentos e sentimentos de formas que incentivam minha família.

Satisfeito ____   Precisa melhorar ____

Como família, geralmente expressamos nossos pensamentos e sentimentos de formas que incentivam uns aos outros.

Satisfeito ____   Precisa melhorar ____

CONFIANÇA

Como indivíduo, de modo geral tento não controlar minha família.

Satisfeito _____   Precisa melhorar _____

Como família, de modo geral tentamos não controlar uns aos outros.

Satisfeito _____   Precisa melhorar _____

COMPAIXÃO

Como indivíduo, de modo geral percebo quando um familiar está sofrendo e reajo com sensibilidade e solidariedade.

Satisfeito _____   Precisa melhorar _____

Como família, de modo geral percebemos quando um de nós está sofrendo e reagimos com sensibilidade e solidariedade.

Satisfeito _____   Precisa melhorar _____

PACIÊNCIA

Como indivíduo, de modo geral administro positivamente minha raiva com a família.

Satisfeito _____   Precisa melhorar _____

Como família, de modo geral administramos positivamente a raiva de uns contra os outros.

Satisfeito _____   Precisa melhorar _____

ORGANIZAÇÃO

Como indivíduo, de modo geral sou flexível e não me estresso facilmente com as mudanças na agenda da família.

Satisfeito _____   Precisa melhorar _____

Como família, de modo geral somos flexíveis e não nos estressamos facilmente com as mudanças na agenda da família.

Satisfeito _____   Precisa melhorar _____

DIVERSÃO

Como indivíduo, de modo geral reservo tempo para relaxar e recarregar as energias junto com a família de formas criativas.

Satisfeito _____ Precisa melhorar _____

Como família, de modo geral reservamos tempo para relaxar e recarregar as energias juntos de formas criativas.

Satisfeito _____ Precisa melhorar _____

CONEXÃO

Como indivíduo, de modo geral me envolvo com minha família em vez de permitir que coisas menos importantes me distraiam.

Satisfeito _____ Precisa melhorar _____

Como família, de modo geral nos envolvemos uns com os outros em vez de permitir que coisas menos importantes nos distraiam.

Satisfeito _____ Precisa melhorar _____

PERGUNTA BÔNUS

De modo geral, minha família e eu trabalhamos como uma equipe para fazer as reformas familiares necessárias.

Satisfeito _____ Precisa melhorar _____

SUA PONTUAÇÃO

Incluindo a pergunta bônus, existem 25 possibilidades de estar "satisfeito". Para cada "satisfeito" que selecionou, marque 4 pontos. Por exemplo, se selecionou "satisfeito" 10 vezes, você fez 40 pontos; ou, se selecionou "satisfeito" 20 vezes, fez 80 pontos. Depois, pense em seus pontos como porcentagens, e nessa porcentagem como sua satisfação com a vida familiar.

Assim, alguém com 40 pontos está 40% satisfeito com sua vida familiar; alguém com 80 pontos está 80% satisfeito. (Observação: É importante lembrar que o Questionário de Inspeção do Lar não é científico; ele se baseia apenas em suas respostas para essas doze áreas da vida familiar e não é uma avaliação exaustiva da satisfação com seu lar.)

Quantas vezes você respondeu "satisfeito"?

_____ x 4 = _____ %

Com sua pontuação em mente, reavalie as áreas da vida familiar com as quais está satisfeito. Converse com sua família e comemore o sucesso que vocês têm alcançado nessas áreas. Discutam como podem manter um sucesso constante nessas áreas.

Para as áreas em que "precisa melhorar", considere as mudanças que você e sua família precisam fazer. Discuta com eles como podem trabalhar juntos para implementar as mudanças necessárias. Para ter inspiração e ideias, leia e implemente as muitas ferramentas úteis descritas neste livro.

O Questionário de Inspeção do Lar pode ajudar a gerar reflexões e discussões com sua família sobre onde vocês têm tido êxito e onde uma reforma familiar talvez se faça necessária. Além de usá-lo para saber quais reformas são urgentes agora, utilize o questionário para fazer uma manutenção periódica na vida familiar.

AGRADECIMENTOS

Um agradecimento especial a todos os casais que têm compartilhado conosco sua jornada de reforma familiar. Também somos gratos às nossas próprias famílias, com quem temos dividido essa jornada.

Agradecemos também a Anita Hall, assistente administrativa do dr. Chapman. E, é claro, este livro não seria possível sem a equipe da Northfield Publishing: John Hinkley, Betsey Newenhuyse, Zack Williamson, Janis Todd, e muitos outros.

NOTAS

Capítulo 2
[1] Provérbios 15.1

Capítulo 3
[1] 1Coríntios 13.4-7.

Capítulo 5
[1] Corrie ten Boom, *Clippings from My Notebook* (Thorndike, ME: Thorndike Press, 1982), p. 23.
[2] Ver <https://www.goodreads.com/quotes/895079-a-happymarriage-is-the-union-of-two-good-forgivers>. Um trecho de *A Quiet Knowing* diz: "O falecido Robert Quinlan uma vez descreveu o casamento como 'a união de dois bons perdoadores'" (Gigi Graham Tchividjian com Ruth Bell Graham, *A Quiet Knowing: Devotional Thoughts for Troubled Times* [Nashville: W Publishing Group, 2001], p. 90).

Capítulo 6
[1] Quote Investigator, <https://quoteinvestigator.com/2014/04/06/they-feel/>.

Capítulo 7
[1] Erik Erikson, *Identity and the Life Cycle* (New York: International Universities Press, 1959).

[2] Rudolf Dreikurs e Vicki Stoltz, *Children: The Challenge* (New York: Hawthorn/Dutton, 1964).

[3] Haim G. Ginott, *Between Parent and Child: Revised And Updated: The Bestselling Classic That Revolutionized Parent-Child Communication*, revisado e expandido por Alice Ginott e H. Wallace Goddard (New York: Three Rivers Press, 2003).

[4] Lenore Skenazy, *Free-Range Kids, How to Raise Safe, Self-Reliant Children (Without Going Nuts With Worry)* (San Francisco: Jossey--Bass, 2009).

[5] Ben Schott, "Velcro Parents", *New York Times*, 30 de ago. de 2010. Disponível em: <https://schott.blogs.nytimes.com/2010/08/30/velcroparents/>.

[6] Amy Chua, *Battle Hymn of the Tiger Mother* (New York: Penguin Press, 2011).

[7] Dallas Willard, *Life Without Lack: Living in the Fullness of Psalm 23* (Nashville: Thomas Nelson, 2018), p. 199.

Capítulo 8

[1] The Center for Compassion and Altruism Research and Education, Stanford University, ccare.stanford.edu; CCARE at Stanford University, "Power of Compassion & Importance of the Work of CCARE", 22 de abr. de 2015, disponível em: <https://www.youtube.com/watch?v=rUi40yTXrjY>.

[2] Brian Morton, "Falser Words Were Never Spoken," *New York Times*, 29 de ago. de 2011, disponível em: <https://www.nytimes.com/2011/08/30/opinion/falser-words-were-never-spoken.html>.

Capítulo 9

[1] Provérbios 29.11.

Capítulo 10

[1] George Doran, "There's a S.M.A.R.T. Way to Write Management's Goals and Objectives", *Management Review* 70, n. 11 (1981), p. 35-36, disponível em: <https://community.mis.temple.edu/mis0855002fall2015/files/2015/10/S.M.A.R.T-Way-Management-Review.pdf>.

[2] James Prochaska e Carlo DiClemente, "Transtheoretical Therapy: Toward a More Integrative Model of Change", *Psychotherapy Theory Research & Practice* 19, n. 3 (1982), p. 276-88.

Capítulo 11

[1] C. S. Lewis, *Surprised by Joy: The Shape of My Early Life* (San Diego: Harcourt Brace, 1955), p. 23.

Capítulo 12

[1] Common Sense Media, <https://www.commonsensemedia.org/device-free-dinner>.

Obras do mesmo autor:

- A essência das cinco linguagens do amor
- A criança digital
- A família que você sempre quis
- Acontece a cada primavera
- Ah, se eu soubesse!
- Amor & lucro
- Amor é um verbo
- As cinco linguagens da valorização pessoal no ambiente de trabalho
- As cinco linguagens do amor
- As cinco linguagens do amor das crianças
- As cinco linguagens do amor de Deus
- As cinco linguagens do amor dos adolescentes
- As cinco linguagens do amor para homens
- As cinco linguagens do amor para solteiros
- As cinco linguagens do perdão
- As quatro estações do casamento
- Brisa de verão
- Casados e ainda apaixonados
- Como lidar com a sogra
- Como mudar o que mais irrita no casamento
- Como reinventar o casamento quando os filhos nascem
- Do inverno à primavera
- Fazer amor
- Incertezas do outono
- Inesperada graça
- Linguagens de amor
- Não aguento meu emprego
- O casamento que você sempre quis
- O que não me contaram sobre casamento
- Promessas de Deus para abençoar seu casamento
- Zero a zero

Esta obra foi composta com tipografia Adobe Caslon Pro
e impressa em papel Pólen Soft 70 g/m^2 na gráfica Assahi